O anticristo

Dados Internacionais de Catalogação na Publicação (CIP)
(Câmara Brasileira do Livro, SP, Brasil)

Nietzsche, Friedrich, 1844-1900
  O anticristo : maldição ao cristianismo / Friedrich Nietzsche ; tradução de Diego Kosbiau Trevisan. – Petrópolis, RJ : Vozes, 2020. – (Coleção Vozes de Bolso)

  Título original: Der Antichrist : Fluch auf das Cristenthum
  ISBN 978-85-326-6321-4

  1. Anticristo 2. Cristianismo – Filosofia 3. Cristianismo – Literatura controversa 4. Dionísio (divindade grega) 5. Filosofia alemã 6. Poesia alemã I. Título. II. Série.

  19-30092   CDD-193

Índices para catálogo sistemático:
1. Nietzsche : Filosofia alemã 193

Cibele Maria Dias – Bibliotecária – CRB-8/9427

Friedrich Nietzsche

O anticristo
Maldição ao cristianismo

Tradução de Diego Kosbiau Trevisan

Título do original em alemão: *Der Antichrist – Fluch auf das Christenthum*
Tradução realizada a partir, principalmente, do vol. 6 da *Kritische Studienausgabe in 15 Bände*, editado por G. Colli & M. Montinari, Walter de Gruyter, 1988, mas com apoio igualmente de outras edições de referência.

© desta tradução:
2020, Editora Vozes Ltda.
Rua Frei Luís, 100
25689-900 Petrópolis, RJ
www.vozes.com.br
Brasil

Todos os direitos reservados. Nenhuma parte desta obra poderá ser reproduzida ou transmitida por qualquer forma e/ou quaisquer meios (eletrônico ou mecânico, incluindo fotocópia e gravação) ou arquivada em qualquer sistema ou banco de dados sem permissão escrita da editora.

CONSELHO EDITORIAL

Diretor
Gilberto Gonçalves Garcia

Editores
Aline dos Santos Carneiro
Edrian Josué Pasini
Marilac Loraine Oleniki
Welder Lancieri Marchini

Conselheiros
Francisco Morás
Ludovico Garmus
Teobaldo Heidemann
Volney J. Berkenbrock

Secretário executivo
João Batista Kreuch

Editoração: Fernando Sergio Olivetti da Rocha
Diagramação: Sheilandre Desenv. Gráfico
Revisão gráfica: Nilton Braz da Rocha | Nivaldo S. Menezes
Capa: Ygor Moretti

ISBN 978-85-326-6321-4

Editado conforme o novo acordo ortográfico.

Este livro foi composto e impresso pela Editora Vozes Ltda.

Sumário

Prefácio, 7

Números 1 ao 62, 9

Lei contra o cristianismo, 109

Notas, 111

Prefácio[1]

Este livro[2] pertence aos pouquíssimos. Talvez sequer ainda viva algum deles. Poderiam ser aqueles que entendem o meu *Zaratustra*: como eu *poderia* confundir-me com aqueles para os quais hoje ainda crescem ouvidos? – Só o depois de amanhã pertence a mim. Alguns nascem postumamente.

As condições sob as quais sou compreendido e, então, compreendido com *necessidade* – eu as conheço muitíssimo bem. É preciso ser probo nas coisas do espírito até a dureza, também para suportar apenas minha seriedade, minha paixão. É preciso ser habituado a viver em montanhas – a ver *abaixo* de si toda a atual tagarelice miserável de política e egoísmo dos povos. É preciso ter-se tornado indiferente, é preciso nunca se perguntar se a verdade é útil, se ela se tornou uma fatalidade para alguém... Uma predileção dos fortes por perguntas para as quais ninguém tem hoje coragem; a coragem para o *proibido*; a predestinação para o labirinto. Uma experiência a partir de sete solidões. Novos ouvidos para nova música. Novos olhos para o mais longínquo. Uma nova consciência moral para verdades que até então ficaram mudas. *E* a vontade para a economia em grande estilo: manter retida sua força, seu *entusiasmo*... A reverência a si; o amor a si; a incondicional liberdade para consigo...

Ora bem! Apenas esses são meus leitores, meus leitores justos, meus leitores predestinados: de que importa o *resto*? – O resto é meramente a humanidade. É preciso ser superior à humanidade por meio da força, por meio da *superioridade* da alma – por meio do desprezo...

Friedrich Nietzsche

1

– Miremo-nos no rosto. Nós somos hiperbóreos – nós sabemos bem o suficiente o quão à parte vivemos. "Nem na terra, nem na água tu encontrarás o caminho para os hiperbóreos": disso já Píndaro tinha consciência sobre nós. Para além do norte, do gelo, da morte – *nossa* vida, *nossa* felicidade... Nós descobrimos a felicidade, nós conhecemos o caminho, nós encontramos a saída de inteiros milênios do labirinto. Quem *mais* a encontrou? – O homem moderno, talvez? "Eu não sei nem sair, nem entrar; eu sou tudo que não sabe nem sair nem entrar" – suspira o homem moderno... *Desta* modernidade estávamos enfermos – da paz pútrida, do compromisso débil, de toda imundice virtuosa do Sim e Não modernos. Essa tolerância e *largeur* [largura] do coração que "escusa" tudo, pois ela "apreende" tudo, é siroco para nós. Melhor morar no gelo do que sob virtudes modernas e outros ventos do sul!... Nós éramos bravos o suficiente, nós não poupamos nem a nós, nem aos outros: mas por muito tempo nós não sabíamos *para onde* ir com nossa bravura. Nós nos tornamos sombrios, chamaram-nos de fatalistas. O *nosso* fado – este *era* a abundância, a distensão, o acúmulo das forças. Nós éramos sequiosos de relâmpagos e atos, nós permanecíamos o mais distante possível da felicidade dos fracos, da "rendição"... Uma tempestade estava em nosso ar, a natureza que somos se entenebrecia – *pois não tínhamos caminho*. A fórmula de nossa felicidade: um Sim, um Não, uma linha reta, um *objetivo*...

2

O que é bom? – Tudo o que eleva o sentimento de potência, a vontade de potência, o poder mesmo no homem.

O que é mau? – Tudo o que provém da fraqueza.

O que é felicidade? – O sentimento de que a potência *cresce*, de que um obstáculo é superado.

Não o contentamento, mas mais potência; *não* a paz em geral, mas a guerra; *não* a virtude, mas a diligência (*virtù* ao estilo do renascimento, virtude desprovida de moralina[3]).

Os fracos e fracassados devem perecer: o primeiro princípio de nossa filantropia. E é preciso ajudá-los nisso.

O que é mais prejudicial do que um vício qualquer? – A compaixão do agir com todos os fracassados e fracos – o cristianismo...

3

O problema que eu coloco aqui não é o que deve ocorrer à humanidade na série sucessiva dos seres (o homem é um *fim*), mas, antes, qual tipo de homem deve ser *cultivado*, deve *querer* ser cultivado, como o de mais alto valor, mais digno de vida, o mais seguro do futuro.

Esse tipo de mais alto valor já existiu com suficiente frequência: mas como um feliz acaso, como uma exceção, nunca como algo *desejado*. Pelo contrário, *ele* foi, antes, temido, ele foi até aqui como que *o* temível; – e por temor o tipo contrário foi desejado, cultivado, *obtido*: o animal de estimação, o animal de rebanho, o animal enfermo homem – o cristão...

4

A humanidade *não* apresenta um desenvolvimento para o melhor ou o mais forte ou o mais elevado na forma como hoje acredita-se nisso. O "progresso" é meramente uma ideia moderna, isto é, uma ideia falsa. O europeu de hoje permanece, em seu valor, profundamente abaixo do europeu do renascimento; desenvolvimento ulterior *não* é, com uma necessidade qualquer, elevação, intensificação, fortalecimento.

Em um outro sentido, nos mais diversos lugares da Terra e a partir das mais diversas culturas, há um êxito contínuo de casos individuais com os quais, de fato, apresenta-se um *tipo superior*: Algo que, na relação com a humanidade em seu todo, é uma espécie de além-do-homem. Tais felizes acasos do grande êxito foram sempre possíveis e talvez serão sempre possíveis. E mesmo inteiros gêneros, estirpes, povos podem, sob circunstâncias, apresentar um tal *acerto*.

5

Não se deve adornar e pavonear o cristianismo: ele realizou uma *guerra mortal* contra esse tipo *superior* de homem, ele baniu todos os instintos fundamentais desse tipo, ele destilou desses instintos o mal, *o* mau – o homem forte como o tipicamente reprovável, o "réprobo". O cristianismo tomou o partido de tudo o que é fraco, baixo, fracassado, ele fez um ideal a partir da *contradição* com os instintos de conservação da vida forte; ele corrompeu a própria razão das naturezas espiritualmente mais fortes, ao ensinar a sentir os valores mais elevados da espiritualidade como pecaminosos, como enganosos, como *tentações*. O exemplo mais miserável – a corrupção de Pascal, que acreditava na corrupção de sua razão por meio do pecado capital, enquanto que ela fora corrompida apenas por meio de seu cristianismo!

6

É um espetáculo doloroso, lúgubre, que se me abriu: eu levanto as cortinas do *corrompimento* do homem. Essa palavra, na minha boca, está ao menos protegida contra uma única suspeita: de que ela contém uma acusação moral do homem. Ela é – eu gostaria de reforçar novamente – *desprovida de moralina*: e isso até o grau em que aquele corrompimento já é por mim sentido o mais fortemente bem lá onde se aspirou, até aqui, o mais conscientemente possível, à "virtude", à "divindade". Como já se pode perceber, eu entendo corrompimento no sentido de *décadence* [decadência]: a minha afirmação é que todos os valores nos quais agora a humanidade resume todo seu desiderato são *valores de* décadence.

Eu denomino um animal, uma espécie, um indivíduo como corrompido quando perde seus instintos, quando escolhe, quando *prefere* o que lhe é prejudicial. Uma história dos "sentimentos superiores", do "ideal da humanidade" – e é possível que eu tenha de contá-la – seria como que a explicação de *por que* o homem está tão corrompido.

A própria vida é considerada por mim como instinto para crescimento, para duração, para acúmulo de forças, para *potência*: onde falta a vontade de potência, há decadência. A minha afirmação é que a todos os valores supremos da humanidade *falta* essa vontade – que os valores da decadência, valores *niilistas* têm o domínio sob os nomes mais sagrados.

7

O cristianismo é denominado a religião da *compaixão* [*Mitleiden*]. – A compaixão se contrapõe aos afetos tônicos, que elevam a energia do sentimento de vida: ela atua depressivamente. Perde-se a força quando se compadece [*mitleidet*]. Por meio da compaixão [*Mitleiden*], aumenta-se e diversifica-se a perda em força que o padecer [*Leiden*] traz à vida. O próprio padecer torna-se contagioso por meio da compaixão. Sob certas circunstâncias, por meio dela pode ser atingida uma perda geral em vida e energia de vida que se encontra numa relação absurda com o *quantum* da causa (o caso da morte do Nazareno). Esse é o primeiro ponto de vista; mas há ainda um mais importante. Se se mede a compaixão segundo o valor da reação que ela costuma produzir, então seu caráter de pôr a vida em risco aparece numa luz ainda mais clara. A compaixão trava, em geral, a lei do desenvolvimento, que é a lei da *seleção*. Ela conserva o que está maduro para o perecimento, ela opõe resistência em favor dos deserdados e condenados da vida, ela dá à própria vida, por meio da abundância dos fracassados de todos os gêneros que ela própria *mantém* na vida, um aspecto sombrio e questionável. Ousou-se denominar a compaixão uma virtude (em toda moral nobre ela é tomada por fraqueza); foi-se ainda mais longe, fez-se dela *a* virtude, o solo e origem de todas as virtudes – decerto, e isto deve-se ter sempre diante dos olhos, apenas a partir do ponto de vista de uma filosofia que era niilista, que tinha a *negação da vida* inscrita como seu lema. Schopenhauer tinha razão nisto: por meio da compaixão a vida é negada, ela se torna *digna de ser negada* – a compaixão é a *praxis* do niilismo. Dito mais uma vez: esse instinto depressivo e contagioso trava todo instinto que se dirige à conservação e aumento do valor da vida: como *multiplicador* do sofrimento e como *conservador* de todo sofrimento, ele é um instrumento fundamental para a intensificação da *décadence* – compaixão persuade ao *nada*! ... Não se diz "nada": diz-se, dele, "além"; ou "Deus"; ou "a *verdadeira* vida"; ou nirvana, salvação, bem-aventurança... Essa retórica inocente vinda do reino da idiossincrasia religiosa-moral logo aparece *bem pouco inocente* quando se compreende *qual* é a tendência que traja, aqui, o manto de palavras sublimes: a tendência *hostil à vida*. Schopenhauer era hostil à vida; *por isso* a compaixão torna-se, para ele, virtude...

Como se sabe, Aristóteles via no compadecer [*Mitleiden*] um estado enfermo e perigoso, que é bom, aqui e ali, tratar por meio de um purgativo: ele entendia a tragédia como um purgativo. Partindo do instinto da vida, seria necessário, de fato, como mostra o caso de Schopenhauer (e, infelizmente, também de toda nossa *décadence* literária e artística de São Petersburgo a Paris, de Tolstói a Wagner), buscar um meio de aplicar uma injeção em tal acumulação enferma e perigosa de compaixão: para que, assim, ela *estoure*... Nada é mais pouco saudável, em meio de nossa tão pouco saudável modernidade, do que a compaixão cristã. Ser médico *aqui*, ser implacável *aqui*, empunhar a faca *aqui* – isto pertence a *nós*, esta é *nossa* forma de filantropia, para que *nós* sejamos filósofos, nós, os hiperbóreos!

8

É necessário dizer *quem* sentimos ser nosso antagonista – os teólogos e todos que têm sangue de teólogo no corpo – nossa inteira filosofia... É preciso ter visto a fatalidade de perto, melhor ainda, é preciso vivê-la em si, é preciso quase ter perecido por causa dela, para não ver mais nenhuma brincadeira aqui (o suposto espírito livre de nossos senhores cientistas naturais e fisiólogos é uma *brincadeira* aos meus olhos – falta-lhes a paixão nessas coisas, o *padecer* por elas). Todo envenenamento vai bem mais longe do que se pensa: eu reencontrei o instinto soberbo de teólogo por todas as partes onde hoje alguém se sente "idealista" – onde alguém, devido a uma proveniência superior, reivindica um direito de mirar a realidade com prepotência e estranhamento... Exatamente como o padre, o idealista tem à mão todos os grandes conceitos (e não apenas à mão!), ele os põe em jogo com benévolo desprezo contra o "entendimento", os "sentidos", as "honras", a "boa vida", a "ciência", ele vê tais conceitos *abaixo* de si, como forças prejudiciais e tentadoras, por sobre as quais paira "o espírito" em uma pura Por-si-mesmidade: – como se humildade, castidade, pobreza, em uma palavra, a *santidade* não tivesse até agora causado à vida, de forma indizível, mais danos do que horrores e vícios quaisquer... O espírito puro é uma mentira pura... Enquanto o padre continuar sendo considerado como a espécie superior de homem, esse negador, caluniador, envenenador da vida por *profissão*, não haverá resposta alguma para a questão: o que é verdade? A verdade já *está* virada de ponta-cabeça quando o advogado consciente do nada e da negação é considerado o defensor da "verdade"...

9

Eu declaro guerra contra esse instinto de teólogos: eu encontrei seus traços por todos os lados. Quem tem sangue de teólogo no corpo se coloca, de antemão, enviesada e desonestamente diante de todas as coisas. O *pathos* que se desenvolve a partir disso se chama *fé* [*Glaube*][4]: fechar os olhos para si mesmo de uma vez por todas para não sofrer com o aspecto da falsidade incurável. Faz-se consigo mesmo uma moral, uma virtude, uma santidade a partir dessa ótica anômala para todas as coisas, liga-se a *boa* consciência moral ao ver-*falso* – exige-se que nenhuma *outra* espécie de ótica possa ter mais valor após ter sido feito sacrossanta a própria, com os nomes "Deus", "salvação", "eternidade". Eu exumei o instinto de teólogo por todas as partes: trata-se da forma de falsidade mais propagada sobre a Terra, a forma propriamente mais *subterrânea*. O que um teólogo sente como verdadeiro *tem de* ser falso: tem-se aí como que um critério da verdade. É seu instinto mais baixo de conservação de si que proíbe que a realidade, em um ponto qualquer que seja, tenha as honras ou mesmo apenas assuma a palavra. Até onde alcança a influência do teólogo o *juízo de valor* é posto de cabeça para baixo, os conceitos "verdadeiro" e "falso" são necessariamente invertidos: aquilo que é mais prejudicial à vida é chamado, aqui, de "verdadeiro", aquilo que a ergue, eleva, afirma, justifica e a faz triunfar é chamado de "falso"... Se ocorre de os teólogos, por meio da "consciência" dos príncipes (*ou* dos povos), estenderem a mão até o *poder*, então não duvidamos do que, no fundo, toda vez ocorre: a vontade de fim, a vontade *niilista* quer vir à potência...

10

Entre os alemães entende-se imediatamente quando eu digo que a filosofia está corrompida pelo sangue de teólogo. O pastor protestante é o avô da filosofia alemã, o próprio protestantismo é seu *peccatum originale* [pecado original]. Definição do protestantismo: a paralisia parcial do cristianismo – *e* da razão... Basta apenas pronunciar a palavra "Seminário de Tübingen" para compreender o que no fundo é a filosofia alemã – uma teologia *embusteira*... Os suábios são os melhores mentirosos na Alemanha, eles mentem inocentemente... De onde vem o júbilo que tomou o mundo erudito, que é composto, em três quartos, de filhos de pastores e professores, com o surgimento de *Kant* – de onde vem a convicção alemã, que também ainda hoje ecoa, de que com Kant se inicia uma virada para o *melhor*? O instinto de teólogo nos eruditos alemães faz adivinhar *o que* então era novamente possível... Abria-se um atalho oculto para o antigo ideal, o conceito de "mundo *verdadeiro*", o conceito de moral como *essência* do mundo (esses dois erros os mais malignos que existem!) eram agora mais uma vez, graças a um esperto e astucioso ceticismo, se não demonstráveis, ao menos não mais *refutáveis*. A razão, o *direito* da razão não vai longe o suficiente... Da realidade fizera-se uma "aparência"; fizera-se de um mundo completamente *fictício* o do ente, a realidade... O sucesso de Kant é meramente um sucesso de teólogo: Kant foi, como Lutero, como Leibniz, um freio a mais na retidão alemã em si não palpável.

11

Ainda uma palavra contra Kant enquanto *moralista*. Uma virtude tem de ser a *nossa* invenção, as *nossas* mais pessoais legítima defesa e carências: em todos os outros sentidos, ela é meramente um risco. O que não é condição de nossa vida a *preju-dica*: uma virtude meramente a partir de um sentimento de respeito pelo conceito de "virtude", como Kant desejava, é prejudicial. A "virtude", o "dever", o "bom em si", o bom com o caráter de impessoalidade e universalidade – fabulações da mente nas quais se expressa a decadência, a derradeira debilitação da vida, o chinesismo de Königsberg. O inverso é exigido pelas leis mais profundas de conservação e crescimento: que cada um invente a *sua* virtude, o *seu* imperativo categórico. Um povo perece quando confunde o *seu* dever com o conceito de dever. Nada arruína mais profunda, mais internamente do que todo dever "impessoal", todo sacrifício diante do Moloque da abstração. – Que não se tenha sentido o imperativo categórico de Kant como *perigoso à vida*!... Apenas o instinto de teólogo o protegeu! – Uma ação para a qual o instinto da vida coage tem no prazer a sua demonstração de ser uma ação *correta*: e todo niilista com vísceras cristãs-dogmáticas entendeu o prazer como *objeção*... O que destrói mais rapidamente do que trabalhar, pensar, sentir sem necessidade interna, sem uma escolha profundamente pessoal, sem *prazer*? como autômato do "dever"? Trata-se diretamente da receita para a *décadence*, até para o idiotismo... Kant tornou-se idiota. – E este era contemporâneo de *Goethe*! Essa fatalidade aracnídea foi considerada o filósofo *alemão* – e é considerada ainda!... Eu evito dizer o que penso dos alemães... Kant não viu na revolução francesa a passagem da forma inorgânica de Estado para a *orgânica*? Ele não se perguntou se há um evento que não pode ser explicado de outra forma senão por meio de uma disposição moral da humanidade, de modo que, com ele, de uma vez por todas, é *demonstrada* a "tendência da humanidade para o bom"? A resposta de Kant: "trata-se da revolução". O instinto desacertado em tudo e todos, a contranatureza como instinto, a *décadence* alemã como filosofia – *isto é Kant!*

12

Eu ponho de lado alguns céticos, o tipo mais decoroso na história da filosofia: mas o resto não conhece os primeiros requisitos de retidão intelectual. Eles fazem, todos, como mulherzinhas, todos esses grandes fanáticos e animais prodigiosos – eles já tomam os "belos sentimentos" por argumento, o "peito inflamado" por fole da divindade, a convicção por um *critério* da verdade. Por fim, Kant, na inocência "alemã", procurou fazer dessa forma de corrupção, dessa falta de consciência moral intelectual, uma ciência, sob o conceito de "razão prática": ele descobriu uma razão propositadamente para o caso em que não se tem de preocupar-se com a razão, a saber, quando a moral, quando a exigência sublime "tu deves" é pronunciada. Se se considera que em quase todos os povos o filósofo é apenas o desdobramento do tipo sacerdotal, então essa herança do sacerdote, a contrafação ante si mesmo, não mais surpreende. Quando se possuem tarefas sagradas, por exemplo, melhorar, redimir, salvar os homens, quando se traz no peito a divindade, quando se é a embocadura de imperativos do além, então com uma tal missão já se está fora de todas as valorações meramente compreensíveis – já se está mesmo santificado por uma tal tarefa, já se é o tipo de uma ordem superior!... O que a *ciência* importa a um sacerdote? Ele está muito acima para tanto! – E o sacerdote *teve o domínio* até então! Ele *determinou* o conceito de "verdadeiro" e "não verdadeiro"!...

13

Não menosprezemos isto: *nós próprios*, nós, os espíritos livres, já somos a "transvaloração de todos os valores", uma declaração *encarnada* de guerra e de triunfo a todos os conceitos antigos de "verdadeiro" e "não verdadeiro". Os discernimentos mais valorosos são mais tarde encontrados; mas os discernimentos mais valorosos são os *métodos*. *Todos* os métodos, *todas* as pressuposições de nossa cientificidade atual tiveram durante milênios o mais profundo desprezo contra si, em consequência delas foi-se excluído do convívio com homens "*honnetten*" [honestos] – foi-se considerado como "inimigo de deus", como quem despreza a verdade, como "possuído". Como caráter científico, era-se chandala [*Tschandala*]... Nós tivemos contra nós todo o *pathos* da humanidade – contra seu conceito do que *deve* ser verdade, do que *deve* ser o serviço da verdade: todo "tu deves" foi até agora dirigido *contra* nós... Nossos objetos, nossas práticas, nossa forma calada, cuidadosa, desconfiada. – Tudo lhe pareceu completamente indigno e desprezível. – Por fim, pode-se perguntar, com certa justiça, se não foi propriamente um gosto estético que manteve a humanidade em tão longa cegueira: ela exigia da verdade um efeito *pitoresco*, ela igualmente exigia daquele que conhece que ele atuasse fortemente sobre os sentidos. Nossa modéstia lhe repugnou mais longamente o gosto. Ah, como adivinharam isso, esses perus de Deus.

14

Nós aprendemos as coisas de uma outra forma. Nós nos tornamos mais modestos em todas as partes. Nós derivamos o homem não mais do "espírito", da "divindade", nós o recolocamos entre os animais. Ele é considerado por nós o animal mais forte, pois ele é o mais ardiloso: uma consequência disso é sua espiritualidade. Por outro lado, nós nos defendemos contra uma vaidade que, também aqui, novamente deseja se fazer ouvir: como se o ser humano tivesse sido o grande propósito oculto do desenvolvimento animal. Ele não é de forma alguma a coroa da criação, cada ser está, ao lado dele, em um mesmo estágio da perfeição... E ao afirmarmos isso, afirmamos ainda em demasiado: o homem é, tomado relativamente, o animal mais malsucedido, o mais enfermo, o que se extraviou dos seus instintos da forma mais perigosa – decerto, com tudo isso, também *o mais interessante*! – No que diz respeito aos animais, Descartes foi o primeiro, com audácia digna de veneração, a ousar o pensamento de entender o animal como máquina: toda a nossa fisiologia se esforça para demonstrar essa proposição. Logicamente, tampouco colocamos o homem de lado, como ainda fizera Descartes: tudo o que em geral se compreende hoje do homem se estende até exatamente o que se compreende dele como máquina. Outrora, dava-se ao homem, como seu dote de uma ordem superior, a "vontade livre": hoje lhe retiramos mesmo a vontade, no sentido de que ela não pode mais ser entendida como uma faculdade. A antiga palavra "vontade" serve apenas para designar uma resultante, uma espécie de reação individual que se segue necessariamente a um conjunto de estímulos em parte contraditórios, em parte concordantes: – a vontade não "atua" mais, não "move" mais... Outrora, via-se na consciência do homem, no "espírito", a demonstração de sua proveniência superior, de sua divindade; para que homem se consumasse, era-lhe aconselhado, à maneira da tartaruga, trazer os sentidos para dentro de si, a cessar o contato com as coisas terrenas, a rechaçar a casca mortal: restava então a coisa principal, o "espírito puro". Também a respeito disso ponderamos melhor: o torna-se consciente, o "espírito", é considerado por nós já como sintoma de uma imperfeição relativa do organismo, como uma tentativa, um tatear, um desacertar, como um esforço no qual muita energia dos nervos é dispendida – nós negamos que uma coisa qualquer possa ser feita de forma perfeita na medida em que seja feita conscientemente. O "espírito puro" é uma estupidez pura: se subtraímos o sistema nervoso e os sentidos, a "casca mortal", *então calculamos erradamente a nós mesmos* – e mais nada!...

15

Nem a moral e nem a religião tocam, no cristianismo, em algum ponto qualquer da realidade. *Causas* meramente imaginárias ("Deus", "alma", "eu", "espírito", "a vontade livre" – ou também "a não livre"); *efeitos* meramente imaginários ("pecado", "salvação", "graça", punição", "remissão dos pecados"). Um comércio entre *seres* imaginários ("Deus", "espíritos", "almas"); uma ciência imaginária da *natureza* (antropocêntrica; a ausência completa do conceito das causas naturais), uma *psicologia* imaginária (completos autoequívocos, interpretações de sentimentos gerais agradáveis ou desagradáveis, por exemplo dos estados do *nervus sympathicus* [nervo simpático], com auxílio da linguagem de sinais da idiossincrasia religioso-moral – "contrição", "remorso", "tentação do demônio", "a proximidade de Deus"); uma *teleologia* imaginária ("o reino de Deus", "o juízo final", "a vida eterna"). – Esse mundo *ficcional* puro distingue-se, em muito para seu desfavor, do mundo de sonho pelo fato de que o último espelha a realidade, enquanto que *aquele* falseia, desvaloriza, nega a realidade. Somente após o conceito "natureza" ter sido inventado como contraconceito para "Deus", "naturalmente" teve de ser a palavra para "reprovável" – todo aquele mundo de ficção tem sua raiz no *ódio* contra o que é natural (*Natürliche*; a realidade!), ele é a expressão de um profundo mal-estar pelo real... *Mas com isso tudo é esclarecido.* Apenas quem tem razões para furtar-se a colocar-se na realidade? Quem *sofre* com ela. Mas sofrer com a realidade significa ser uma realidade *malsucedida*... A preponderância dos sentimentos de desprazer por sobre os sentimentos de prazer é a *causa* daquela moral fictícia e religião: uma tal preponderância, contudo, fornece a *fórmula* para a *décadence*...

16

Uma crítica do *conceito cristão de Deus* força a mesma conclusão. – Um povo que ainda crê em si mesmo tem também ainda o seu próprio Deus. Neste, ele venera as condições pelas quais tem consciência de suas próprias forças, suas virtudes – ele projeta seu prazer por si mesmo, seu sentimento de potência, em um ser ao qual pode agradecer por isso. Quem é rico quer oferecer; um povo orgulhoso precisa de um Deus para *sacrificar*... A religião, no interior de tais pressupostos, é uma forma de gratidão. É-se grato por si próprio: para isso é preciso um Deus. – Um tal Deus tem de poder servir e prejudicar, tem de poder ser amigo e inimigo – ele é admirado tanto no bem como no mal. A castração *antinatural* de um Deus em um Deus meramente do bem seria, aqui, algo totalmente não desejável. O Deus mau é tão necessário quanto o bom: ora, a própria existência não é devida exatamente à tolerância, à filantropia... O que importaria a um Deus que não conhecesse ira, vingança, inveja, escárnio, embuste, violência? ao qual, talvez, não fossem conhecidos os adoráveis *ardeurs* [ardores] da vitória e do extermínio? Não seria possível entender um tal Deus: para que se deveria tê-lo? – Com efeito: quando um povo perece; quando sente esvaecer em definitivo a fé no futuro, sua esperança na liberdade; quando a submissão como algo de primeira utilidade, as virtudes do submisso lhe surgem à consciência como condições de conservação, então o seu Deus *tem de* transformar-se. Ele se torna agora mosca-morta, medroso, humilde, aconselha a "paz da alma", o "não-mais-odiar", a "clemência", até o "amor" pelos amigos e inimigos. Ele moraliza sem parar, ele se enfia no covil de toda virtude pessoal, ele se torna Deus para todos, torna-se um homem privado, torna-se cosmopolita... Outrora ele apresentava um povo, as forças de um povo, tudo o que é agressivo e tem sede de potência a partir da alma de um povo: agora ele é meramente o Deus bom... De fato, não há outra alternativa para deuses: *ou* eles são a vontade de potência – e nessa medida eles serão deuses de um povo – *ou*, contudo, a impotência de potência – e então eles se tornam necessariamente *bons*...

17

Onde, de uma forma qualquer, a vontade de potência decai, há sempre também um declínio psicológico, uma *décadence*. A divindade da *décadence*, castrada em suas virtudes e impulsos masculinos, torna-se, de agora em diante, necessariamente o Deus dos que têm retrocesso fisiológico, dos fracos. Eles não chamam a si mesmos de os fracos, eles chamam a si mesmos de "os bons"... Entende-se, sem que haja necessidade de qualquer insinuação, em qual instante da história tornou-se primeiramente possível a ficção dualista de um Deus bom e um Deus mau. Com o mesmo instinto com o qual rebaixam o seu Deus ao "bom em si" os submissos excluem as boas características do Deus daqueles que os superam; eles se vingam de seus senhores ao *demonizarem* o seu Deus. – O Deus *bom*, assim como o diabo: ambos são maus frutos da *décadence*. – Como é possível que ainda hoje se renda tanto à simplicidade dos teólogos cristãos para decretar, com eles, que o desdobramento do conceito de Deus, do "Deus de Israel", do Deus do povo até o Deus cristão, ao conjunto completo de todo o bem, seja um *progresso*? – Contudo, até mesmo Renan faz isso. Como se Renan tivesse um direito à simplicidade! Mas o oposto salta aos olhos. Quando as pressuposições da vida *que se ergue*, quando tudo o que é forte, bravo, imperioso, orgulhoso é eliminado do conceito de Deus, quando ele, passo a passo, se afunda até ser símbolo de um bastão para cansados, de uma âncora de salvação para todos que se afogam, quando ele se torna Deus-das-pessoas-pobres, Deus-dos-pecadores, Deus-dos-doentes *par excellence*, e o predicado "redentor", "salvador", são como que os remanescentes dos predicados divinos em geral: *de que* se trata com essa transformação? com uma tal *redução* do divino? – Com efeito: "o reino de Deus" torna-se maior assim. Outrora ele tinha apenas um povo, seu povo "escolhido". Nesse ínterim, assim como seu próprio povo, ele foi ao estrangeiro, partir em peregrinação, ele não parou quieto em nenhum lugar desde então: até que ele, por fim, se sentiu pátrio em todos os lugares, o grande cosmopolita – até que trouxe a seu lado "a maioria" e metade da Terra. Mas o Deus da "maioria", o democrata entre os deuses, não se tornou, apesar disso, nenhum orgulhoso Deus dos pagãos: ele continuou sendo judeu, ele continuou sendo o Deus dos cantos, o Deus das beiras e lugares sombrios, de todos os quarteirões insalubres de todo o mundo!... Seu reino mundial é ainda um reino-do-submundo, um hospital, um reino subterrâneo, um reino do gueto... E ele próprio, tão pálido, tão fraco, tão *décadent*... Mesmo os mais pálidos dos pálidos tornaram-se senhores sobre ele, os senhores metafísicos, os albinos-do-conceito. Esses tramaram tão longamente a seu redor até que ele, hipnotizado pelos seus movimentos, tornou-se ele próprio aranha, ele próprio *metaphysicus* [metafísico]. Desde então ele se tramou novamente o mundo a partir de si – *sub specie Spinozae* [do ponto de vista de Espinosa] –, desde então ele se transfigurou em sempre mais tênue e pálido, tornou-se ideal, tornou-se "espírito puro", tornou-se "*absolutum*" [absoluto], tornou-se "coisa em si"... *Decadência de um Deus*: Deus tornou-se "coisa em si"...

18

O conceito cristão de Deus – Deus como Deus dos doentes, Deus como aranha, Deus como espírito – é um dos conceitos mais corruptos de Deus a que já se chegou na Terra; ele apresenta, talvez, até mesmo o nível mais baixo no desenvolvimento decrescente do tipo dos deuses. Deus que se degenerou até a *contradição da vida*, ao invés de ser sua transfiguração e Sim eterno. Em Deus, a declaração de hostilidade à vida, à natureza, à vontade de vida! Deus, a fórmula para toda calúnia do "aquém", para toda mentira do "além"! Em Deus, o nada divinizado, a vontade de nada dita sagrada...

19

Que as raças fortes da Europa do norte não tenham repelido de si mesmas o Deus cristão não honra verdadeiramente sua aptidão religiosa, para não mencionar o gosto. Elas *tinham* que ter dado cabo a um tal mau fruto doentio e alquebrado da *décadence*. Mas recai uma maldição sobre elas por não lhe terem dado cabo: elas acolheram a doença, a velhice, a contradição em todos os seus instintos – elas não *criaram* desde então mais nenhum Deus. Praticamente dois mil anos e nenhum único novo Deus! Mas, antes, ainda sempre, e como que com razão, como um *ultimatum* [ultimato] e *maximum* [máximo] da força formadora divina, do *creator spiritus* [espírito criador] no homem, esse Deus digno de pena do monótono-teísmo cristão! esse produto híbrido da decadência feito de nada, conceito e contradição, no qual todos os instintos da decadência, todas as pusilanimidades e cansaços da alma encontram sua sanção!

20

Com minha condenação do cristianismo não gostaria de cometer nenhuma injustiça contra uma religião aparentada, que, no número de seguidores, até mesmo o supera, a saber, contra o *budismo*. Ambos fazem parte do grupo de religiões niilistas – elas são religiões da *décadence* –, ambos se distinguem segundo uma forma notável. Pelo fato de ser possível agora *compará-los* o crítico do cristianismo é profundamente grato aos estudiosos da Índia. – O budismo é cem vezes mais realista do que o cristianismo – ele possui no corpo a herança da posição objetiva e fria do problema, ele vem *após* séculos e séculos de contínuo movimento filosófico, o conceito de "Deus" já está descartado no momento em que surge. O budismo é a única religião genuinamente *positivista* que a história nos mostra, inclusive em sua teoria do conhecimento (em seu rígido fenomenalismo), ele não mais afirma uma "luta contra *pecados*", mas, antes, fazendo total justiça à realidade, "luta contra o *sofrimento*". Ele já deixou atrás de si – isso a distingue profundamente do cristianismo – o autoengodo dos conceitos morais – ele está, para usar minha linguagem, *para além* do bem e do mal. Os *dois* fatos psicológicos nos quais ele repousa e que tem diante dos olhos são: *primeiro*, uma irritabilidade desproporcional da sensibilidade, que se exprime como capacidade refinada para a dor, e *em seguida* uma superespiritualização, uma vida demasiado longa em meio a conceitos e procedimentos lógicos, na qual o instinto de pessoa foi prejudicado em nome do "impessoal" (ambos os estados são conhecidos por ao menos alguns dos meus leitores, os "objetivos", como eu próprio). Em razão dessas condições psicológicas surgiu uma *depressão*: Buda atua higienicamente contra esta. Ele dirige contra ela a vida ao ar livre, a vida errante, a moderação e o critério nas refeições; o cuidado com toda bebida; da mesma forma, o cuidado com todos os afetos que produzem bílis, que esquentam o sangue; nenhuma *preocupação*, nem por si, nem pelos outros. Ele exige representações que promovem tranquilidade ou animam – ele descobre meios de desabituar-se dos outros. Ele entende a bondade, o ser-bondoso como algo que promove a saúde.

A *prece* está excluída, assim como a *ascese*; nenhum imperativo categórico, nenhuma coerção em geral, mesmo no interior do claustro (pode-se sair dele). Tudo isso seriam meios para fortalecer aquela irritabilidade desproporcional. Exatamente por isso ele tampouco exige uma luta contra aquele que pensa diferentemente; o seu ensinamento não se defende contra nada mais senão o sentimento de vingança, de abnegação, de *ressentiment* [ressentimento] ("a hostilidade não se encerra por meio da hostilidade": o tocante refrão de todo o budismo...); e isso com boa razão: justamente esses afetos seriam completamente *insalubres* com respeito ao principal objetivo dietético. A fadiga espiritual com que ele se depara e que se exprime em uma "objetividade" demasiadamente grande (ou seja, debilitação do interesse do indivíduo, perda de um ponto de referência, de egoísmo) é combatida por ele ao também fazer remontarem, de forma rígida, os interesses espirituais à *pessoa*. No ensinamento de Buda o egoísmo se torna dever: o "uma só coisa é necessária", o "como tu te livras do sofrer", regula e limita toda a dieta espiritual (pode-se talvez lembrar daquele ateniense que também declarou guerra à "cientificidade" pura, de Sócrates, que fez do egoísmo pessoal, também no reino dos problemas, moral).

21

A pressuposição para o budismo é um clima muito ameno, uma grande brandura e liberalidade nos costumes, *nenhum* militarismo; e que seja nos estamentos superiores e mesmo eruditos que o movimento tenha seu foco. Quer-se a serenidade, a calma, a ausência de desejos como finalidade suprema, e se *atinge* essa finalidade. O budismo não é uma religião na qual se aspira meramente à perfeição: o perfeito é o caso normal.

No cristianismo, os instintos dos sujeitados e oprimidos aparecem em primeiro plano: trata-se dos estamentos os mais inferiores que nele procuram sua salvação. Aqui a casuística dos pecados, a autocrítica, a inquisição da consciência moral, são exercidas como *ocupação*, como instrumento contra o aborrecimento; aqui o afeto para com um *poderoso*, denominado "Deus", é constantemente mantido (por meio da prece); aqui o supremo é considerado inatingível, uma dádiva, uma "graça". Aqui falta também a publicidade; o escondido, o espaço obscuro é cristão. Aqui o corpo é desprezado, a higiene é recusada enquanto sensualidade; a Igreja se volta até mesmo contra a pureza (a primeira providência cristã após a expulsão dos mouros foi o fechamento dos banhos públicos, que apenas em Córdoba eram 270). Cristão é um certo sentido de atrocidade, contra si próprio e contra os outros; o ódio contra aqueles que pensam diferentemente; a vontade de perseguir. Representações fúnebres e aflitivas estão em primeiro plano; os estados mais sumamente desejados, designados com os nomes mais grandiosos, são epileptoides; a dieta é salvaguardada ao beneficiarem-se as aparências mórbidas e superexcitarem-se os nervos. Cristão é a hostilidade mortal contra os senhores da Terra, contra os "nobres" – e, ao mesmo tempo, uma competição oculta e furtiva (deixa-lhes o "corpo", quer-se *apenas* a "alma"...). Cristão é o ódio contra o *espírito*, contra o orgulho, coragem, liberdade, *libertinage* [libertinagem] do espírito; cristão é o ódio contra os *sentidos*, contra a alegria dos sentidos, contra a alegria em geral...

22

Esse cristianismo, no momento em que abandonou seu primeiro solo, os mais inferiores estamentos, o *submundo* do mundo antigo, no momento em que saiu entre os povos bárbaros em busca de poder, não tinha mais aqui homens *cansados* como pressuposto, mas, antes, homens internamente selvagens e dilacerados – homens fortes, mas fracassados. A insatisfação consigo, o sofrimento consigo *não* é aqui, como nos budistas, uma irritabilidade e uma suscetibilidade à dor excessivas, mas, muito pelo contrário, um anseio poderosíssimo por infligir dor, por relaxar a tensão interna em ações e representações hostis. O cristianismo viu serem necessários conceitos e valores bárbaros para tornar-se senhor de bárbaros: tais são o sacrifício do primogênito, a libação do sangue na ceia, o desprezo do espírito e da cultura; a tortura em todas as formas, sensíveis e não sensíveis; a grande pompa do culto. O budismo é uma religião para homens *tardios*, para raças bondosas, afáveis, tornadas superespirituais, que sentem dor muito facilmente (a Europa ainda não está suficientemente madura para ele): ele é um retorno dos mesmos à paz e à serenidade, à dieta em temas do espírito, a um certo enrijecimento nos temas do corpo. O cristianismo quer ser senhor de *predadores*; seu instrumento para tanto é torná-los *enfermos* – a debilitação é a receita cristã para a *domesticação*, para a "civilização".

O budismo é uma religião para o término e o cansaço da civilização, o cristianismo não mais a encontra – ele a funda sob certas circunstâncias.

23

O budismo, dito mais uma vez, é cem vezes mais frio, mais veraz, mais objetivo. Ele não tem mais necessidade de tornar *decoroso* seu sofrimento, sua susceptibilidade à dor, por meio da interpretação dos pecados – ele afirma meramente o que pensa: "eu sofro". Pelo contrário, para o bárbaro o sofrimento consigo não é nada decoroso: ele precisa primeiramente de uma interpretação para admitir *que* ele sofre (o seu instinto aponta, antes, para que se renegue o sofrimento, para que o suporte em silêncio). Aqui a palavra "diabo" era uma benesse: tinha-se um inimigo superpoderoso e terrível – não era preciso envergonhar-se de sofrer com um tal inimigo.

O cristianismo tem, no fundo, algumas sutilezas que pertencem ao oriente. Sobretudo, ele sabe que é em si totalmente indiferente se algo é verdadeiro, mas o é de grande necessidade *na medida* em que se crê que é verdadeiro. A verdade e a crença de que algo é verdadeiro: dois mundos-de-interesse que estão completamente apartados um do outro, quase que mundos-*contrapostos* – chega-se a um e a outro por caminhos fundamentalmente diferentes. Ser sabedor disso – isso é que, no oriente, *faz* um sábio: assim entendem os brâmanes, assim entende Platão, assim como qualquer estudante de sabedoria esotérica. Por exemplo, se uma *felicidade* consiste em crer-se redimido do pecado, então *não* se faz necessário assumir como seu pressuposto que o homem é pecaminoso, mas, antes, que ele *se sente* pecaminoso. Contudo, se em geral se faz necessária, antes de tudo, a crença, então é preciso colocar em descrédito a razão, o conhecimento, a pesquisa: o caminho até a verdade torna-se o caminho *proibido*. – A forte *esperança* é um estimulante muito maior da vida do que uma felicidade particular qualquer que realmente sobrevenha. É preciso que aquele que sofre seja sustentado por uma esperança que não possa ser contradita por nenhuma realidade – que não seja *extinguida* por nenhuma realização: uma esperança-no-além. (Justamente por essa capacidade de manter o infeliz na espera, a esperança era considerada pelos gregos o mal dos males, como o mal propriamente traiçoeiro: ele permaneceu na caixa dos males.) Para que o *amor* seja possível, é preciso que Deus seja pessoa; para que os instintos mais baixos possam ter participação, é preciso que Deus seja jovem. Para o fervor das mulheres, coloca-se em primeiro plano um santo belo; para o dos homens, uma Maria. Isso sob o pressuposto de que o cristianismo quer ser senhor num solo onde um culto afrodisíaco ou de Adônis já determinara o *conceito* de culto. A exigência de *castidade* intensifica a veemência e interioridade do instinto religioso – ela torna o culto mais caloroso, fanático, emotivo. – O amor é um estado em que, na maioria das vezes, o homem vê as coisas como elas *não* são. A força ilusória está aqui em seu ponto mais alto, assim como a força edulcorante, a força *transfigurante*. No amor, suporta-se mais do que em qualquer outra circunstância, tolera-se tudo. Cumpria inventar uma religião na qual se pudesse ser amado: com isso ia-se para além do que há de pior na vida – não se vê absolutamente mais isso. – Tudo isso sobre as três virtudes cristãs de fé, amor, esperança: eu as denomino os três *expedientes*[5] cristãos. – O budismo é muito tardio, muito positivista para ser ainda expediente dessa forma.

24

Eu toco aqui apenas o problema do *surgimento* do cristianismo. A *primeira* proposição para sua solução é: o cristianismo somente pode ser entendido a partir do solo do qual cresceu – ele *não* é um contramovimento ao instinto judaico, ele é a consequência deste mesmo, uma conclusão adicional em sua lógica assustadora. Na fórmula do salvador: "a salvação vem dos judeus". – A *segunda* proposição é: o tipo psicológico do galileu ainda é reconhecível, mas somente em sua completa degeneração (que é, simultaneamente, mutilação e sobrecarga de traços alheios) ele pôde servir àquilo para que foi utilizado, para o tipo de um *salvador* da humanidade.

Os judeus são o povo mais curioso da história mundial, pois eles, antes de fazer a pergunta sobre o ser e o não ser, preferiram, com uma consciência completamente tétrica, o ser *a todo custo*: esse custo foi a *falsificação* radical de toda a natureza, de toda a naturalidade, de toda realidade, de todo o mundo interior e também o exterior. Eles se isolaram de todas as condições sob as quais até então era possível, era *permitido* a um povo viver, eles produziram a partir de si mesmos um conceito contraposto a todas as condições *naturais* – segundo essa ordem, a religião, o culto, a moral, a história, a psicologia foram invertidas por eles, de modo incurável, na *contradição com seus valores de natureza*. Nós nos deparamos com o mesmo fenômeno novamente e em proporções indizivelmente ampliadas, embora apenas como cópia: – a Igreja cristã prescinde, em comparação ao "povo santo", de toda pretensão a originalidade. Os judeus são, exatamente por isso, o povo *mais fatídico* da história mundial: em seu impacto, eles tornaram a humanidade de tal modo falsa que ainda hoje o cristão pode sentir-se de forma antijudaico, sem compreender-se como a *última consequência judaica*.

Em minha *Genealogia da moral* eu avancei psicologicamente pela primeira vez os conceitos contrapostos de uma moral *nobre* e uma moral do *ressentiment*, a última surgida a partir do *Não* contra a primeira: contudo, esta é a moral judaico-cristã por completo. De modo a poder dizer Não a tudo o que apresenta na Terra o movimento *ascendente* da vida, o que é bem-sucedido, o poder, a beleza, a afirmação de si, seria necessário que o instinto do *ressentiment*, aqui tornado gênio, inventasse um *outro* mundo, a partir do qual toda *afirmação da vida* aparecesse como o mal, como o reprovável. Calculado em termos psicológicos, o povo judaico é um povo da mais tenaz força vital, o qual, disposto sob condições impossíveis, adotou voluntariamente, a partir do expediente mais profundo de conservação de si, o partido de todos os instintos de *décadence* – não como que sendo dominado por eles, mas, antes, pois tal povo adivinhou neles um poder com o qual era possível impor-se *contra* "o mundo". Eles são a contrapartida de todos os *décadents*: eles tiveram de *apresentá-los* até a ilusão, eles conscientemente se colocaram, com um *non-plus-ultra* [ponto não ultrapassável] de um gênio histriônico, no topo de todos os movimentos de *décadence* (como o cristianismo de *Paulo*), para a partir destes criar algo que é mais forte do que todo partido *que diz Sim* da vida. Para a espécie de homem exigido para o poder no judaísmo e no cristianismo, uma espécie *sacerdotal*, a *décadence* é apenas um *instrumento*: essa espécie de homem tem um interesse de vida em tornar a humanidade *enferma* e inverter os conceitos de "bom" e "mau", "verdadeiro" e "falso" em um sentido perigoso à vida e difamatório do mundo.

25

A história de Israel é inestimável como típica história de toda *desnaturalização* dos valores da natureza: eu faço alusão a cinco fatos. Originalmente, sobretudo na época do reino, Israel tinha também uma relação *correta*, isto é, uma relação natural, com todas as coisas. O seu Javé era a expressão da consciência de poder, de sua alegria consigo, de sua esperança em si: nele esperava-se vitória e salvação, com ele confiava-se que a natureza dava aquilo de que o povo tinha necessidade – sobretudo a chuva. Javé era o Deus de Israel e, *por conseguinte*, Deus da justiça: a lógica de todo povo que está no poder e tem uma boa consciência moral disso. Nas festividades do culto exprimem-se esses dois lados da afirmação de si de um povo: ele é grato pela grande sina por meio da qual se alçou ao topo, ele é grato com relação aos ciclos anuais e a toda fortuna na criação de animais e no cultivo do campo. – Esse estado das coisas permaneceu por muito tempo um ideal, também no momento em que ele foi extinguido de forma triste: a anarquia por dentro, os assírios por fora. Mas o povo reteve como maior desiderato aquela visão de um rei que é um bom soldado e um rigoroso juiz: sobretudo aquele típico profeta (i. é, crítico e satírico do instante), Isaías. – Mas toda esperança não se cumpriu. O Deus antigo não mais podia fazer o que ele outrora fazia. Dever-se-ia tê-lo abandonado. O que aconteceu? O seu conceito foi *transformado* – o seu conceito foi *desnaturalizado*: esse foi o custo de tê-lo mantido. – Javé, o Deus da "justiça" – *não mais* uma unidade com Israel, uma expressão do sentimento de si do povo: somente um Deus sob circunstâncias... O seu conceito torna-se um instrumento nas mãos dos agitadores sacerdotais que começam a interpretar toda felicidade como recompensa, toda infelicidade como punição para a desobediência para com Deus, como "pecado": aquela maneira interpretativa mais falaciosa de uma suposta "ordem moral do mundo", com a qual, de uma vez por todas, o conceito natural de "causa" e "consequência" é virado de ponta-cabeça. Se com recompensa e punição se exclui a causalidade natural do mundo, carece-se então de uma causalidade *antinatural*: todo o resto de não natureza segue-se doravante. Um Deus que *exige* – em lugar de um Deus que ajuda, que dá conselho, que fundamentalmente é a palavra para toda inspiração venturosa da coragem e da confiança em si... A *moral*, não mais a expressão das condições de crescimento e da vida, mas, antes, tornada abstrata, tornada oposição à vida – moral como deterioração da fantasia, como "olhar mau" a todas as coisas. O *que* é a moral judaica, o *que* é a moral cristã? O acaso que foi privado de sua inocência.

A infelicidade conspurcada com o conceito de "pecado"; o bem-estar como perigo, como "tentação"; o mal-estar fisiológico envenenado com o verme da consciência moral...

26

O conceito falseado de Deus; o conceito falseado de moral: – o sacerdócio judaico não se deteve aqui. Não se precisava de toda a *história* de Israel: basta com ela! Esses sacerdotes consumaram esse milagre de falseamento, e sua documentação está disponível para nós como boa parte da Bíblia: com uma irrisão sem igual contra toda tradição, contra toda realidade, eles traduziram seu próprio esquecimento do povo em elemento religioso, isto é, fizeram dele um mecanismo estúpido de redenção de culpa para com Javé e de punição, de devoção para com Javé e de recompensa. Esse ato extremamente ignominioso de falseamento da história seria sentido por nós de maneira muito mais dolorosa, se a interpretação *eclesiástica* da história não nos tivesse feito quase que cegos para as exigências de retidão *in historicis* [em coisas da história]. E os filósofos secundaram a Igreja: a *mentira* "da ordem moral do mundo" perpassa todo o próprio desenvolvimento da filosofia recente. O que significa "ordem moral do mundo"? Que, de uma vez por todas, há uma vontade de Deus acerca do que o homem deve fazer, do que ele deve deixar de fazer; que o valor de um povo, de um indivíduo se mede por quanto ele obedece ou deixa de obedecer a vontade de Deus; que, na sina de um povo, de um indivíduo, a vontade de Deus se demonstra como *dominante*, isto é, como punitiva ou recompensadora, conforme o grau de obediência. A realidade no lugar dessa mentira digna de lástima significa: uma espécie parasitária de homem que prospera apenas às custas de todas as formações saudáveis da vida, o *sacerdote*, abusando do nome de Deus: ele denomina "o reino de Deus" um estado de coisas em que o sacerdote determina o valor das coisas; ele denomina "a vontade de Deus" os meios em virtude dos quais um tal estado é atingido ou mantido; ele mede, com um cinismo de sangue-frio, os povos, as épocas, os indivíduos com o critério de se eles aproveitam ou contrariam a preponderância dos sacerdotes. Pode-se vê-los em ação: pelas mãos dos sacerdotes judaicos, a *grande* época na história de Israel tornou-se uma época de decadência; o exílio, a longa desventura transformou-se em uma eterna *punição* pela grande época – uma época em que o sacerdote ainda não era nada... Das figuras poderosas da história de Israel, que se mostravam como *muito livres*, eles fizeram, conforme a necessidade, hipócritas e arrebatados ou "sem Deus", eles simplificaram a psicologia de todo grande acontecimento com a fórmula idiota "obediência ou desobediência para com Deus". – Um passo além: a "vontade de Deus", isto é, as condições de manutenção do poder do sacerdote, precisa ser *reconhecida* – para essa finalidade, carece-se de uma "revelação". Dito em bom português: um grande falseamento literário faz-se necessário, uma "Sagrada Escritura" é descoberta – com toda a pompa hierática, com dias de penitência e gritos de queixume sobre o longo "pecado", ela se torna pública. A "vontade de Deus" estava certa havia muito tempo: toda perdição con-

sistia em ter-se distanciado da "Sagrada Escritura"...
A "vontade de Deus" já havia sido revelada a Moisés... O que ocorrera? Com rigor, com pedantismo, o sacerdote havia, até os pequenos e grandes tributos que deveriam lhe ser pagos (não esquecer o pedaço mais saboroso da carne; pois o sacerdote é um devorador de bifes – *Beefsteak-Fresser*), formulado, de uma vez por todas, *o que ele queria ter*, "o que é a vontade de Deus"... A partir de então, todas as coisas da vida são ordenadas de tal modo que o sacerdote é *indispensável por todas as partes*; em todos os acontecimentos da vida, no nascimento, no casamento, na doença, na morte, para não mencionar o sacrifício ("a ceia"), o parasita sagrado surge para *desnaturalizá-los*: em sua linguagem, para "santificá-los"... Pois isso precisa ser compreendido: todo costume natural, toda instituição natural (Estado, ordenamento jurídico, casamento, cuidado de doentes e pobres), toda exigência inspirada pelo instinto da vida, em uma palavra, tudo que não tem seu valor *em si*, torna-se fundamentalmente sem valor, *contrário* ao valor por meio do parasitismo do sacerdote (ou da "ordem moral do mundo"): carece-se, ulteriormente, de uma sanção – um poder que *confere valor* faz-se necessário, o qual nega aqui a natureza, o qual, justamente por isso, primeiramente *cria* um valor... O sacerdote desvalora, *dessacraliza* a natureza: ele existe, em suma, a esse preço. – A desobediência para com Deus, ou seja, para com o sacerdote, para com "a lei", recebe então o nome de "pecado"; os meios de "reconciliar-se com Deus" são, justamente, meios com os quais a submissão ao sacerdote apenas é garantida mais inabalavelmente: o sacerdote meramente "redime"...

Calculado em termos psicológicos, os pecados são imprescindíveis em toda sociedade organizada em sacerdócio: eles são propriamente a manobra do poder, o sacerdote *vive* dos pecados, ele tem necessidade que se "peque"... A proposição suprema: "Deus perdoa quem faz penitência" – em termos claros: *aquele que se sujeita ao sacerdote.*

27

Em um solo de tal forma *falso*, onde toda natureza, todo valor de natureza, toda *realidade* tinha contra si os instintos mais profundos da classe dominante, cresceu o *cristianismo*, uma forma de hostilidade moral contra a realidade que até então não foi ultrapassada. O "povo santo", que, para todas as coisas, conservara apenas valores de sacerdote, apenas palavras de sacerdote, e com um rigor inferencial de inspirar medo. Apartou de si, como "profano", como "mundo", como "pecado", tudo o que em geral ainda restava de poder na Terra – esse povo produziu, para seu instinto, uma última fórmula que era lógica até sua autonegação: ele negava, como cristianismo, ainda a última forma da realidade, o "povo santo", o "povo escolhido", a própria realidade *judaica*. O caso é de grande importância: o pequeno movimento revoltoso que foi batizado com o nome de Jesus de Nazaré é *mais uma vez* o instinto judaico – dito de outro modo, o instinto de sacerdote que não mais suporta o sacerdote como realidade, a invenção de uma forma de existência ainda mais *subtraída*, de uma visão ainda mais *irreal* do mundo do que aquela determinada pela organização de uma Igreja. O cristianismo *nega* a Igreja...

Eu não compreendo contra quem a revolta foi dirigida, quando seu autor foi entendido ou *mal-entendido* como sendo Jesus, senão uma revolta contra a Igreja judaica, Igreja tomada exatamente no sentido em que tomamos hoje a palavra. Tratava-se de uma revolta contra "os bons e justos", contra "os santos de Israel", contra a hierarquia da sociedade – *não* contra sua corrupção, mas, antes, contra a casta, o privilégio, a ordem, a fórmula; tratava-se da *descrença* nos "homens superiores", o *Não* dirigido contra tudo o que era sacerdote e teólogo. Mas a hierarquia que foi questionada desse modo, ainda que por apenas um instante, era a palafita sobre a qual o povo judaico, em meio à "água", ainda subsistia, a última possibilidade, conquistada com muito custo, de permanecer, o *residuum* [resíduo] de sua existência política particular: um ataque a ela era um ataque ao instinto mais profundo do povo, à vontade mais tenaz de vida do povo que jamais houvera na Terra. Esse anarquista sagrado, que exortou o povo inferior, os excluídos e "pecadores", os *chandalas* no interior do judaísmo, a resistirem contra a ordem dominante – com uma linguagem que, caso se deva confiar nos Evangelhos, ainda hoje conduziria à Sibéria – era um criminoso político, na medida, decerto, em que eram possíveis criminosos políticos em uma comunidade *absurdamente apolítica*. Isso o levou à cruz: a prova disso é a inscrição na cruz. Ele morreu por sua culpa – pouco importa o quão frequentemente foi afirmado, falta qualquer fundamento para que se afirme que ele morreu pela culpa dos outros.

28

Uma pergunta absolutamente diferente é a de se ele tinha em geral consciência de tal oposição – se ele meramente foi *percebido* como essa oposição. E só aqui que eu toco o problema da *psicologia do salvador*. – Eu reconheço que poucos livros têm, quando eu os leio, tantas dificuldades como os Evangelhos. Essas dificuldades são diferentes das que, ao prová-las, a curiosidade erudita do espírito alemão festejou um triunfo que lhe foi o mais inesquecível. Já se passou há muito o tempo em que também eu, assim como todo jovem erudito, saboreava a obra do incomparável Strauss com o prudente vagar de um refinado filólogo. Eu tinha, à época, vinte anos: agora estou sério demais para tanto. O que me interessam as contradições da "tradição"? Como é possível que as lendas dos santos sejam chamadas de "tradição"! As histórias dos santos são a literatura mais ambígua que existe: aplicar-lhe o método científico, *quando faltam por completo documentos*, parece-me condenável de partida – uma mera ociosidade erudita...

29

O que *me* interessa é o tipo psicológico do salvador. Ele *poderia*, sim, estar contido nos Evangelhos apesar dos Evangelhos, por mais que estejam mutilados ou sobrecarregados com traços estranhos: assim como o tipo de Francisco de Assis está contido em suas lendas, apesar de suas lendas. *Não* a verdade sobre o que ele fez, o que ele falou, como ele realmente morreu; mas, antes, a pergunta sobre *se* o seu tipo ainda é em geral imaginável, se ele foi legado pela "tradição". – As tentativas que eu conheço de inferir da leitura dos Evangelhos até mesmo a história de uma "alma", parecem-me provas de uma leviandade psicológica abominável. O senhor Renan, esse arlequim *in psychologicis* [em coisas psicológicas], mobilizou para sua definição do tipo de Jesus os dois conceitos mais *impertinentes* que pode haver para tanto: o conceito de *gênio* e o conceito de *herói* [*heros*]. Mas se há algo não evangélico, este é o conceito de herói. Precisamente o contrário de toda contenda, de todo sentir-se-em-luta tornou-se, aqui, instinto: a incapacidade de opor-se torna-se, aqui, moral ("não te oponhas ao mal", a palavra mais profunda dos Evangelhos, em certo sentido a sua chave), a bem-aventurança na paz, na amenidade, no não *poder*-ser-inimigo. O que significa a "boa-nova"? Encontrou-se a vida verdadeira, a vida eterna – ela não é prometida, ela está aí, ela está *convosco*: como vida no amor, no amor sem desfalque e exclusão, sem distância. Todos são filhos de Deus – Jesus não reivindica absolutamente nada apenas para si – como filho de Deus todos são iguais a todos... Fazer de Jesus um *herói*! – E que mal-entendido é mesmo a palavra "gênio"! Todo o nosso conceito, todo o nosso conceito cultural "espírito" não tem absolutamente nenhum sentido no mundo onde Jesus vive. Dito com o rigor do fisiólogo, haveria lugar, aqui, para uma palavra completamente diferente: a palavra idiota. Nós conhecemos um estado de irritabilidade enfermiça do *tato*, que então se retrai diante de todo contato, de todo tocar em um objeto concreto. Um tal *habitus* psicológico é traduzido em sua lógica última – como instinto de ódio contra *toda* realidade, como fuga ao "inconcebível", ao "incompreensível", como repulsa a toda fórmula, todo conceito de tempo e espaço, contra tudo o que é constante, costume, instituição, Igreja, como estar-em-casa em um mundo no qual não toca mais nenhuma espécie de realidade, em um mundo meramente "interno", em um mundo "verdadeiro", em um mundo "eterno"... "O reino de Deus está *convosco*".

30

O instinto de ódio contra a realidade: consequência de uma capacidade extrema de sofrer e excitar-se, a qual, em geral, não quer mais ser "tocada", pois ela sente todo toque muito profundamente.

O instinto de exclusão de toda aversão, de toda inimizade, de todos os limites e distâncias no sentimento: consequência de uma capacidade extrema de sofrer e excitar-se, a qual sente toda relutância, todo ter-de-relutar, como um insuportável *desprazer* (i. é, como algo *prejudicial*, como algo que o instinto de conservação de si *dissuade*), e a qual conhece a bem-aventurança (o prazer) apenas em não mais opor resistência, a ninguém mais, nem ao mal-estar, nem ao mal – o amor como a única, como a *última* possibilidade de vida.

Essas são as duas *realidades fisiológicas* nas quais, das quais a doutrina da salvação surgiu. Eu as denomino um sublime desenvolvimento ulterior do hedonismo sob um fundamento completamente mórbido. Ainda que, com um grande complemento de vitalidade e força nervosa gregas, o epicurismo lhe é bem aparentado, a doutrina de salvação do paganismo. Epicuro, um *típico* décadent: eu o conheci originalmente enquanto tal. – O temor diante da dor, mesmo diante do infinitamente pequeno em dor – ele não pode *terminar* em absolutamente mais nada senão em uma *religião do amor*...

31

Eu adiantei minha resposta ao problema. O pressuposto para ela é que o tipo de salvador está contido em nós apenas numa forte deturpação. Essa deturpação tem em si muita verossimilhança: por inúmeros motivos, um tal tipo não poderia permanecer puro, inteiro, livre de acréscimos. Devem ter deixado vestígios nele tanto o *milieu* [meio] no qual essa figura estranha se moveu, como, ainda mais, a história, o *destino* das primeiras comunidades cristãs: a partir dele o tipo foi, retroativamente, enriquecido com traços que somente são compreensíveis a partir da guerra e para fins de propaganda. Aquele mundo solitário e enfermo, ao qual os Evangelhos nos introduzem – um mundo como que saído de um romance russo, no qual parecem reunir-se a escória da sociedade, neuroses e idiotismo "infantil" –, precisa ter, sob todas as circunstâncias, tornado aquele tipo *mais grosseiro*: os primeiros discípulos, em particular, inicialmente traduziram, para sua própria crueza, um ser banhado de símbolos e coisas inconcebíveis, para entender, em geral, algo dele – para eles, somente após ser informado em formas conhecidas o tipo *estava dado*... O profeta, o Messias, o juiz vindouro, o doutrinador moral, o milagreiro,

João Batista – outras tantas oportunidades de desconhecer o tipo... Por fim, não desprezamos o *proprium* [próprio] de toda grande adoração, nomeadamente a adoração sectária: ela extingue os traços e idiossincrasias originários, frequentemente estranhos e embaraçosos, do ser adorado – *ela nem mesmo os vê*. É de lastimar que um Dostoiévski não tenha vivido nas proximidades desse *décadent* mais interessante que existiu, eu quero dizer alguém que soubesse sentir precisamente o comovente encanto de uma tal mistura de algo sublime, enfermo e infantil. Uma última consideração: o tipo, enquanto um tipo da *décadence*, *poderia* ter sido, de fato, de uma multiplicidade e contradição peculiares: uma tal possibilidade não pode ser completamente excluída. No entanto, tudo dissuade dela: justamente a tradição precisaria ter sido, nesse caso, uma tradição notavelmente fiel e objetiva: daqui temos razões para assumir o contrário. Por ora, entreabre-se uma contradição entre, por um lado, o pregador da montanha, do mar e do campo, cuja aparição passa a impressão de um Buda num solo muito pouco indiano, e, por outro, aquele fanático da agressão, o inimigo mortal do teólogo e do sacerdote, que a maldade de Renan glorificou como o *"le grand maître en ironie"* [o grande mestre em ironia]. Eu mesmo não duvido que a abundante quantidade de bílis (e mesmo de *esprit* [espírito]) transbordou primeiramente do estado efervescente da propaganda cristã ao tipo do mestre: conhece-se abundantemente a falta de questionamento de todos os sectários em aprumar sua *apologia* partindo de seu mestre. Quando a primeira comunidade precisou, *contra* teólogos, de um teólogo que julga, querela, guarda rancor, é malevolamente sagaz, ela *criou* seu "Deus" segundo suas carências: assim como ela lhe pôs na boca também aqueles conceitos completamente não evangélicos dos quais ela então não podia prescindir, "parusia", "juízo final", toda espécie de expectativa temporal e promessa sem hesitação.

32

Dito mais uma vez, eu me volto contra a inserção do fanático no tipo do salvador: a palavra *impérieux* [imperioso], utilizada por Renan, tão somente *anula* o tipo. A "boa-nova" significa, decerto, que não há mais oposições; o reino dos céus pertence às *crianças*; a fé que se torna aqui ruidosa não é uma fé renhida – ela está aí, ela está desde o começo, ela é como que uma infantilidade que se recolheu no espiritual. O caso da puberdade retardada e que não se desenvolveu no organismo, considerada como sequela da degenerescência, é ao menos familiar aos fisiólogos. – Uma tal fé não guarda rancor, não repreende, não se defende: ela não traz "a espada" (Mt 10,34) – ela não tem ideia de quanto ela poderia vir a apartar. Ela não prova a si mesma, nem por milagres, nem por recompensa e promessa, e muito menos "pelas Escrituras": ela mesma é, em todos os instantes, seu milagre, sua recompensa, sua prova, seu "reino de Deus". Essa fé tampouco formula a si mesma – ela *vive*, ela se defende contra fórmulas. Decerto, o acaso do entorno, da língua, da formação já adquirida determina um certo âmbito de conceitos: o primeiro cristianismo tinha à mão *apenas* conceitos judaico-semitas (a comida e a bebida na ceia fazem parte disso, aquele conceito tão mal-utilizado pela Igreja, como tudo o que é judaico). Contudo, resguarda-se de ver nisso mais do que um discurso de signos, uma semiótica, uma oportunidade para parábolas. A precondição para que esse antirrealista possa falar algo é justamente que nenhuma palavra seja assumida literalmente. Entre os indianos, ele teria lançado mão dos conceitos *Sankhya*, entre os chineses, dos de Lao-Tsé – e não teria sentido nenhuma diferença. – Com certa tolerância expressiva, poder-se-ia chamar Jesus de um "espírito livre" – ele não leva em conta tudo o que é estabelecido: a palavra *mata*, tudo o que é estabelecido *mata*. O conceito, a experiência "viver", da única forma como ele a conhece, é nele refratária a toda palavra, fórmula, lei, fé, dogma. Ele fala apenas do que é mais íntimo: "vida" ou "verdade" ou "luz" é sua palavra para o que é mais íntimo – todo o resto, toda a realidade, toda a natureza, a própria linguagem, tem para ele meramente o valor de um signo, de uma parábola. – Não se deve equivocar-se aqui, por maior que seja a tentação que repousa no preconceito cristão, quer dizer, *eclesiástico*: um tal simbolismo *par excelence* repousa fora de toda a religião, de todos os conceitos de culto, de toda a história, de toda a ciência natural, de toda a experiência de mundo, de todo o conhecimento, de toda a política, de toda a psicologia, de todos os livros, de toda a arte – o seu "saber" é, decerto, a *estupidez pura* de *que* haja algo assim. A *cultura* não lhe é conhecida sequer por ouvir dizer, ele não tem necessidade de nenhuma luta contra ela – ele não a nega... O mesmo vale para o *Estado*, para toda a ordem e sociedade civis, para o *trabalho*, para a guerra – ele nunca teve uma razão para negar "o mundo", ele nunca teve ideia do que fosse o conceito eclesiástico de "mundo"... O *negar* é, decerto, aquilo que lhe é completamente impossível. – Da mesma forma, falta-lhe a dialética, falta-lhe a representação de que uma fé, uma verdade possa ser provada por meio de razões (as suas provas são "luzes" internas, sentimentos de prazer e afirmações de si internos, meras "provas da força"). Uma tal doutrina tampouco *pode* contradizer, ela não entende em absoluto que haja, que *possa* haver outras doutrinas, ela não sabe em absoluto representar um juízo oposto... Onde o encontra, ela lastima a "cegueira" com a mais íntima compassividade – pois ela vê a "luz" –, mas não faz nenhuma objeção...

33

Em toda a psicologia do "Evangelho" falta o conceito de culpa e punição; da mesma forma, o conceito de recompensa. O pecado, toda e qualquer relação de distância entre Deus e o homem é suprimida – *justamente essa é a "boa-nova"*. A bem-aventurança não é prometida, ela não se conecta a nenhuma condição; ela é a *única* realidade – o resto é signo para falar dela...

A *consequência* de um tal estado se projeta em uma nova *prática*, a prática propriamente evangélica. Não é uma "crença" que distingue o cristão: o cristão age, ele se distingue por meio de um *outro* agir. Que ele não exerce, nem por palavras, nem no coração, resistência àquele que é mau contra ele. Que ele não faz nenhuma distinção entre estranho e nativo, entre judeu e não judeu ("o próximo", propriamente o correligionário, o judeu). Que ele não se encoleriza contra ninguém, não menospreza ninguém. Que ele não se deixa ver nos tribunais e nem se deixa ser apelado ("não prestar juramento"). Que ele não se separa de sua esposa sob nenhuma circunstância, mesmo nem no caso de uma comprovada infidelidade dela. – No fundo, tudo uma sentença, tudo consequência de um instinto.

A vida do salvador não foi nada mais senão *essa* prática – a sua morte tampouco foi outra coisa... Ele não tinha mais necessidade de nenhuma fórmula, nenhum rito para relacionar-se com Deus – nem mesmo a oração. Ele prestou contas com toda a doutrina judaica da penitência e reconciliação; ele sabe que é unicamente a *prática* da vida que faz com que se sinta "divino", "bem-aventurado", "evangélico", sempre um "filho de Deus". Caminho para Deus *não* é a "penitência", *não* é "oração do perdão": *somente a prática evangélica* leva a Deus, ela própria *é* "Deus" – o que se rechaçou com o Evangelho foi o judaísmo dos conceitos de "pecado", "perdão dos pecados", "fé", "salvação pela fé" – toda a doutrina *eclesiástica* judaica foi negada na "boa-nova".

O instinto profundo de como é preciso *viver* para sentir-se "no céu", para sentir-se "eterno", enquanto absolutamente *não* se "sente no céu" com todos os outros comportamentos: apenas isso é a realidade psicológica do "salvador". – Uma nova mudança, *não* uma nova fé...

34

Se entendo alguma coisa desse grande simbolista é que ele apenas toma realidades *internas* por realidades, por "verdades" – que ele entende o resto, tudo o que é natural, temporal, espacial, histórico, como signo, como uma oportunidade para parábolas. O conceito de "filho do homem" não é uma pessoa concreta que faz parte da história, alguma coisa qualquer individual, única, mas, antes, uma faticidade "eterna", um símbolo psicológico liberto do conceito de tempo. O mesmo vale mais uma vez, e no sentido mais supremo, para o Deus desse típico simbolista, para o "reino de Deus", para o "reino do céu", para os "filhos de Deus". Nada é mais não cristão do que as *crueldades eclesiásticas* de um Deus como *pessoa*, de um "reino de Deus" que *está chegando*, de um "reino do céu" *no além*, de um "filho de Deus", da *segunda pessoa* da trindade. Tudo isso é – escusem-me a expressão – o *soco* no olho – ah, mas que olho! do Evangelho; um *cinismo da história mundial* no escárnio do símbolo... Contudo, é evidente o que está implicado nos signos "padre" e "filho" – não é evidente para todos, eu admito: com a palavra "filho" se exprime o *ingresso* no sentimento de transfiguração completa de todas as coisas (a bem-aventurança), com a palavra "pai", *esse sentimento mesmo*, o sentimento de eternidade, de completude. – Eu me envergonho de lembrar o que a Igreja fez desse simbolismo: ela não colocou uma história de Anfitrião no umbral da "fé" cristã? E ainda por cima um dogma da "imaculada conceição"?... *Mas com isso ela maculou a conceição.*

O "reino do céu" é um estado do coração – não algo que venha "por cima da Terra" ou "após a morte". Todo o conceito da morte natural *está ausente* no Evangelho: a morte não é uma ponte, uma passagem, ela está ausente pois pertence a um mundo completamente distinto, ilusório e útil meramente aos signos. A "hora da morte" *não* é um conceito cristão – a "hora", o tempo, a vida física e suas crises não são em absoluto existentes para o mestre da "boa-nova"... O "reino de Deus" não é nada que se possa esperar; ele não tem ontem e nem depois de amanhã, ele não chega em "mil anos" – ele é uma experiência em um coração; ele está em todos os lugares, ele não está em nenhum lugar...

35

Esse "mensageiro da boa-nova" morreu como viveu, como *ensinou*. A *prática* é o que ele deixou à humanidade; sua atitude diante dos juízes, diante de seus carrascos, diante de seus acusadores e de toda espécie de calúnia e zombaria – sua atitude na *cruz*. Ele não resiste, ele não defende seu direito, ele não dá um passo para evitar o pior, mais ainda, *ele o provoca*... E ele pede, ele sofre, ele ama *com* aqueles, *em* aqueles que lhe fazem mal... As palavras dirigidas ao *ladrão* na cruz contêm todo o Evangelho. "Ele foi verdadeiramente um homem *divino*, um 'filho de Deus'", diz o ladrão. "Se tu o sentires – responde o salvador –, então tu estás *no paraíso*, então tu também és um filho de Deus..." *Não* se defender, *não* guardar rancor, *não* apontar responsáveis... Mas tampouco resistir ao mal – *amá*-lo...

36

Somente nós, os espíritos que *se tornaram livres*, temos o pressuposto para conhecer algo que os dezenove séculos compreenderam erroneamente – aquela retidão que se tornou instinto e paixão e declarou guerra à "mentira sagrada" mais ainda que a todas as outras mentiras... Era indizível a distância para nossa afável e cuidadosa neutralidade, para aquela disciplina do espírito, somente com a qual se torna possível decifrar coisas tão estranhas, tão delicadas; desejava-se, naquele tempo, com um egoísmo desavergonhado, apenas a *sua própria* vantagem, construiu-se, a partir da oposição ao Evangelho, a *Igreja*...

Aquele que buscava signos para perceber o dedo de uma divindade irônica por detrás do grande jogo do mundo encontraria um considerável indício no *imenso ponto de interrogação* que é o cristianismo. Que a humanidade esteja de joelhos diante do contrário do que era a origem, o sentido, o *direito* do Evangelho, que ela já tivesse, no conceito de "Igreja", enunciado como sagrado o que o "mensageiro da boa-nova" sentiu como *abaixo* de si, como *por detrás* de si – busca-se inutilmente uma forma maior de *ironia da história mundial*.

37

– A nossa época tem orgulho de seu sentido histórico: como ela pôde tornar crível o absurdo de que no início do cristianismo havia a *grosseira fábula do salvador e fazedor de milagres*, – e que tudo o que é espiritual e simbólico apenas é um desenvolvimento tardio? Inversamente: a história do cristianismo – e, decerto, partindo da morte na cruz – é a história do mal-entendido, progressivamente cada vez mais grosseiro, de um simbolismo *originário*.

Com toda a expansão do cristianismo para massas ainda mais amplas, mais cruas, às quais cada vez mais passavam batidos os pressupostos a partir dos quais ele nasceu, tornou-se mais necessário *vulgarizar, barbarizar* o cristianismo – ele tem doutrinas e ritos de todos os cultos *subterrâneos* do *imperium Romanum* [império romano], ele absorveu em si o absurdo de todas as formas de razão enferma. O destino do cristianismo reside na necessidade de que sua própria fé tenha de ser tão enferma, tão baixa e vulgar quanto foram enfermas, baixas e vulgares as carências que deviam ser satisfeitas com ele. Enquanto Igreja, a própria *barbárie enferma* assumiu finalmente o poder – a Igreja, essa forma de inimizade mortal a toda retidão, a toda *superioridade* da alma, a toda disciplina do espírito, a toda humanidade franca e benigna. – Os valores cristãos – os valores *nobres*: somente nós, os espíritos que *se tornaram livres*, reconstruímos essa maior contraposição de valores que existe!

38

Nesse momento não posso conter um suspiro. Há dias em que sou assolado por um sentimento, mais negro do que a mais negra melancolia – o *desprezo pelo homem*. E com isso não deixo nenhuma dúvida sobre o *que* eu desprezo, *quem* eu desprezo: o homem de hoje é o homem com o qual fatalmente coexisto. O homem de hoje – eu me asfixio com sua respiração impura... Em relação ao que já passou, eu tenho, assim como todo aquele que conhece algo, uma grande tolerância, isto é, *mag-*

nânimo domínio de si: eu percorro com funesto cuidado o mundo-manicômio de inteiros milênios, chame-se ele "cristianismo", "fé cristã" ou "Igreja cristã" – eu me resguardo de tornar a humanidade responsável por suas doenças mentais. Mas meu sentimento muda drasticamente, irrompe, tão logo eu adentro no tempo recente, no *nosso* tempo. O nosso tempo é *ciente*... O que outrora era apenas enfermo hoje tornou-se indecoroso – é indecoroso ser cristão hoje. *E aqui começa meu asco.* – Eu olho em torno de mim: não restou mais nenhuma palavra sobre o que outrora significava "verdade", nós não suportamos mais nem mesmo quando um sacerdote apenas leva à boca a palavra "verdade". Mesmo na mais modesta pretensão de retidão nós *precisamos* saber hoje que, com toda frase que diz, um teólogo, um sacerdote, um papa não somente confunde, mas, antes, *mente* – que ele não mais tem a liberdade de mentir por "inocência", por "ignorância". Também o sacerdote sabe, tão bem como qualquer pessoa sabe, que não existe mais nenhum "Deus", nenhum "pecador", nenhum "salvador" – que "vontade livre", "ordem moral do mundo" são *mentiras*: a seriedade, a profunda autossuperação do espírito não *permite* mais a ninguém *não* saber algo sobre isso... *Todos* os conceitos da Igreja são conhecidos como o que eles são, como a contrafação mais malévola que existe, com o objetivo de *desvalorar* a natureza, os valores da natureza; o próprio sacerdote é conhecido como o que ele é, como a espécie mais perigosa de parasita, como a verdadeira aranha venenosa da vida... Nós sabemos, nossa *consciência moral* sabe hoje – *o que* valem aquelas sinistras invenções dos sacerdotes e da Igreja, *para que elas servem*, com as quais foi atingido aquele estado de profanação de si da humanidade que pode provocar o asco com sua visão – os conceitos "além", "juízo final", "imortalidade da alma", a própria "alma"; são instrumentos de tortura, são sistemas de atrocidades em razão dos quais o sacerdote tornou-se senhor, permaneceu senhor... Qualquer um sabe isso: *e, não obstante, tudo continua como antes*. Para onde foi o último sentimento de decoro, de respeito por si mesmo, se até mesmo nossos estadistas, de resto uma espécie muito desinibida de homens e completamente anticristãos em seu agir, denominam-se ainda hoje cristãos e comungam?... Um jovem príncipe, no comando de seus regimentos, suntuoso como a expressão do egoísmo e autopresunção de seu povo – mas, *sem* qualquer vergonha, confessando-se como cristão!... *Quem* é então negado pelo cristianismo? *O que* significa "mundo"? Que alguém seja soldado, juiz, patriota; que se defenda; que mantenha a honra; que deseje sua vantagem; que seja *orgulhoso*... Toda prática de todos os instantes, de todo instinto, toda estima que se torna ato é hoje anticristã: mas que *deformidade de falsidade* deve ser o homem moderno para que ele, apesar disso, *não se envergonhe* de ainda denominar-se cristão!

39

Eu faço um retorno, eu conto a *genuína* história do cristianismo. – Já a palavra "cristianismo" é um mal-entendido – no fundo, há apenas um único cristão, e ele morreu na cruz. O "Evangelho" *morreu* na cruz. O que a partir desse instante se denominou "Evangelho" já era o oposto do que *ele* viveu:

uma "*má* nova", um *Disangelho*. É absurdamente falso quando se vê numa "crença", como na crença na salvação por meio de Cristo, a marca distintiva do cristão: apenas a *prática* cristã, uma vida como *viveu* aquele que morreu na cruz, é cristã... Ainda hoje uma *tal* vida é possível, para *certos* homens é até mesmo necessária: o cristianismo originário, genuíno, será possível por todos os tempos... Não uma crença, mas, antes, um fazer, sobretudo um *não-fazer-muita-coisa*, um outro *Ser*... Por exemplo, estados de consciência, uma fé qualquer, um assentimento[6], são – qualquer psicólogo sabe isso – completamente indiferentes e de pouca importância em relação ao valor dos instintos: dito de forma mais estrita, todo o conceito de causação mental é falso. Reduzir o ser-cristão, a Cristandade a um assentimento, a uma mera fenomenalidade da consciência significa negar a Cristandade. *Na realidade, não existe nenhum cristão*. O "cristão", aquilo que se denomina cristão faz dois milênios, é meramente um mal-entendido psicológico de si mesmo. Considerado de maneira mais exata, predominam nele, *apesar* de toda "crença", *meramente* os instintos... A "crença" – eu já a denomino o verdadeiro *expediente* cristão –, falou-se sempre de "crença", mas sempre *se agiu* apenas por instinto... No mundo-representativo do cristão não surge nada que sequer toque a realidade: pelo contrário, nós reconhecemos no ódio instintivo *contra* toda a realidade o elemento propulsor, o único elemento propulsor na raiz do cristianismo. O que se segue disso? Que também *in psychologicis* o erro é aqui radical, isto é, ele é determinante da essência, isto é, ele é *substância*. Se aqui se retira *um* conceito, se uma única realidade toma o seu lugar – e todo o cristianismo cai no nada! – Visto do alto, esse fato mais estranho que existe, uma religião não apenas condicionada por erros, mas que *somente* em erros prejudiciais, *somente* em erros que envenenam a vida e o coração torna-se inventiva e mesmo genial – essa religião permanece uma *encenação para deuses* – para aquelas divindades que são ao mesmo tempo filósofos, e as quais encontrei, por exemplo, naqueles famosos diálogos em Naxos. No instante em que o *asco* se afasta deles (e de nós!), eles se tornam agradecidos pela encenação do cristão: o miserável pequeno astro, que se chama Terra, merece, talvez apenas por causa *desse* curioso caso, um olhar divino, uma simpatia divina... Ora, não menosprezemos o cristão: o cristão, falso *até à inocência*, está bem acima do macaco – em relação ao cristão, uma conhecida teoria da origem torna-se mera cortesia...

40

– A fatalidade do Evangelho foi decidida com a morte – ela foi colocada na "cruz"... Só a morte, essa ignominiosa morte inesperada, só a cruz, que de modo geral ficava reservada meramente à *canaille* [canalha] – só esse paradoxo o mais lúgubre possível levou os discípulos ao verdadeiro enigma: *"quem era isso? o que era isso?"* – O sentimento estremecido e profundamente ofendido, a desconfiança de que tal morte poderia ser a *refutação* de sua causa, a terrível interrogação "por que agora isso?" – esse estado pode ser muito bem compreendido. Aqui tudo *precisava* ser necessário, ter sentido, razão, uma razão suprema; o amor de um discípulo não conhece nenhum acaso. Somente então a fenda se escancarou: "*quem* o matou? *quem* era seu inimigo natural?" – essa questão irrompeu feito um relâmpago. Resposta: o *judaísmo* dominante, seu estamento superior. A partir desse instante, sentiu-se numa *insurreição contra a ordem*. Até então *faltava* em sua imagem esse traço bélico, esse traço que-diz-o-Não, que-faz-o-Não: mais ainda, tal traço era a sua contradição. Obviamente a pequena comunidade *não* tinha entendido o principal, a saber, o que havia de exemplar em morrer dessa forma, a liberdade, a superioridade *sobre* qualquer sentimento de *ressentiment*: – um signo de quão pouco a pequena comunidade entendeu disso! Em si mesmo, Jesus não podia desejar nada mais com sua morte senão fornecer publicamente a prova mais forte, a *demonstração* de seu ensinamento... Mas seus discípulos estavam longe de *perdoar* essa morte – o que teria sido evangélico num sentido supremo; ou mesmo de *oferecerem-se* a uma mesma morte com branda e doce tranquilidade de coração... Precisamente esse sentimento o mais não evangélico possível, a *vingança*, veio novamente à tona. Não era possível que o caso terminasse com essa morte: era necessário "retaliação", "julgamento" (e, porém, o que pode ser mais não evangélico do que "retaliação", "punição", "levar a julgamento"!). Mais uma vez veio em primeiro plano a popular expectativa de um Messias; tinha-se em vista um instante histórico: o "reino de Deus" vem julgar seus inimigos... Mas com isso tudo foi malcompreendido: o "reino de Deus" como ato derradeiro, como promessa. O Evangelho já havia sido, decerto, a existência, o preenchimento, a *realidade* desse "reino"... Precisamente uma tal morte era esse mesmo "reino de Deus"... Somente então todo o desprezo e o azedume contra fariseus e teólogos foram incorporados no tipo do mestre – dele foi *feito* um fariseu e teólogo! Por outro lado, a veneração tornada selvagem dessas almas completamente degringoladas não suportava mais aquela equidade de todos como filhos de Deus que fora ensinada por Jesus: sua vingança foi *elevar* Jesus de forma desregrada, destacá-lo deles: exatamente como antes os judeus, por vingança contra seus inimigos, separavam seu Deus e o alçavam às alturas. O único Deus e o único filho de Deus: ambos são produtos do *ressentiment*...

41

– E desse momento em diante surgiu um problema absurdo, "como Deus *pôde* permitir isso!" Para essa questão a razão perturbada da pequena comunidade encontrou uma resposta horrivelmente absurda: Deus deu seu filho para a remissão dos pecados, como um *sacrifício*. Com isso o Evangelho terminou de uma vez por todas! O *sacrifício expiatório* e, decerto, em sua forma mais bárbara, mais sórdida, o *sacrifício do inocente* para os pecados dos culpados! Que paganismo horrendo! – Jesus é quem abolira o conceito de "culpa" – ele renegou todo abismo entre Deus e homem, ele *viveu* essa unidade de Deus como homem como sua "boa-nova"... E *não* como privilégio! – Desse momento em diante progressivamente ganharam entrada no tipo do salvador: a doutrina do juízo e da parusia, a doutrina da morte como uma morte de sacrifício, a doutrina da *ressurreição*, com a qual é escamoteado todo o conceito de "bem-aventurança", a inteira e única realidade do Evangelho – em proveito de um estado *após* a morte!... Paulo logicizou essa concepção, essa torpeza de concepção com aquele atrevimento de rabino que lhe caracteriza por completo, da seguinte forma: "*se* Cristo não ressuscitou dos mortos, então a nossa fé é frívola" (1Cor 15,14). – E de uma vez por todas o Evangelho tornou-se a promessa mais desprezível de todas as promessas irrealizáveis, a doutrina *desavergonhada* da imortalidade pessoal... O próprio Paulo ainda a ensinava como *recompensa*!...

42

Vê-se *o que* terminou com a morte na cruz: um novo início, um início inteiramente originário para um movimento budista de paz, para uma *felicidade na Terra* real, não meramente prometida. Pois esta continua sendo – eu já o frisei – a distinção fundamental entre ambas as religiões da *décadence*: o budismo não promete nada, mas, antes, cumpre; o cristianismo promete tudo, mas *não cumpre nada*. – À "boa-nova" seguiu-se diretamente *a pior de todas*: a de Paulo. Em Paulo ganha corpo o tipo contraposto ao "mensageiro da boa-nova", o gênio no ódio, na visão do ódio, na lógica implacável do ódio. *O que* esse disangelista deixou de sacrificar para o ódio? Certamente não o salvador: ele o colocou em *sua* cruz. A vida, o exemplo, o ensinamento, a morte, o sentido e o direito de todo o Evangelho. – Tudo isso deixou de existir no momento em que esse contrafator compreendeu, por ódio, aquilo de que apenas ele podia precisar. *Não* a realidade, *não* a verdade histórica!... E mais uma vez o instinto de sacerdote do judeu cometeu o mesmo grande crime com a história – ele simplesmente apagou o ontem, o antes de ontem do cristianismo, *ele inventou uma história do primeiro cristianismo*. Mais ainda: ele fez uma falsa estilização da história de Israel para que parecesse uma pré-história para os atos *dele*: todos os profetas falavam sobre o "salvador" *dele*... A Igreja falsificou mais tarde até mesmo a história da humanidade, tornando-a pré-história do cristianismo... O tipo do salvador, o ensinamento, a prática, a morte, o sentido da morte, mesmo o depois da morte – nada permaneceu intocado, nada permaneceu sequer parecido com a realidade. Paulo simplesmente transferiu o fulcro de toda aquela existência para *detrás* dessa existência – para a mentira de um Jesus "ressuscitado". Ele poderia, no fundo, não mais precisar em absoluto da vida do salvador – ele necessitava da morte na cruz *e* de algo mais... Considerar genuíno um Paulo, cuja pátria era a sede do iluminismo estoico, que arranja a partir de uma alucinação a *prova* de que o salvador *ainda* vivia, ou mesmo somente crer em sua narrativa de *que* ele teve essa alucinação, seria uma verdadeira *niaiserie* [insensatez] por parte de um psicólogo: Paulo queria o fim, *por conseguinte* ele queria também os meios... Os idiotas, para os quais ele jogava *sua* doutrina, acreditavam naquilo em que ele mesmo não acreditava. – Do que ele carecia era o *poder*; com Paulo, o sacerdote quis novamente tomar o poder – ele somente podia precisar de conceitos, doutrinas, símbolos, com os quais tiranizam-se as massas, formam-se rebanhos. – *Qual* foi a única coisa que, mais tarde, Maomé tomou de empréstimo ao cristianismo? A invenção do Paulo, seu instrumento para a tirania do sacerdote, para a formação de rebanhos: a crença na imortalidade – *isto é, a doutrina do "juízo"*...

43

Se se desloca o fulcro da vida *não* para a vida, mas para o "além" – *para o nada* –, então da vida retira-se por completo o fulcro. A grande mentira da imortalidade pessoal destrói toda razão, toda natureza nos instintos – a partir de agora desperta desconfiança tudo aquilo que, nos instintos, é benfazejo, promove a vida, serve de garantia para o futuro. Viver de modo que não haja mais *sentido* – *isto* se torna agora o "sentido" da vida... Para que senso comum, para que ainda gratidão pela filiação e ascendência, para que trabalhar conjuntamente, confiar, promover e ter em vista um bem comum qualquer?... São tantas "tentações", tantas distrações do "caminho correto" – *"uma só coisa é necessária"* (Lc 10,41). Que cada um, como "alma imortal", pertença ao mesmo escalão, que no conjunto de todos os seres a "salvação" de cada indivíduo possa ter a pretensão de uma importância eterna, que míseros beatos e três-quartos malucos possam imaginar que as leis da natureza podem ser rompidas por causa deles – uma tal intensificação de toda espécie de espécie de egoísmo até o infinito, até o *descaramento*, não pode ser denunciada com suficiente desprezo. E, não obstante, o cristianismo deve sua *vitória* a *essa* deplorável bajulação da vaidade pessoal – precisamente todos os fracassados, revoltados, descaminhados, toda a escória e ralé da humanidade convenceu-se disso. A "salvação da alma" – em bom português: "o mundo gira em torno de *mim*"... O veneno do ensinamento "direitos *iguais* para todos" – o cristianismo o disseminou o mais fundamentalmente possível; a partir dos mais clandestinos recônditos de instintos ruins, o cristianismo declarou uma guerra mortal contra todo sentimento de reverência e distância entre homem e homem, isto é, ao *pressuposto* de toda elevação, de todo crescimento da cultura – a partir do ressentimento das massas, ele forjou suas principais armas contra *nós*, contra tudo o que é nobre, alegre, magnânimo na Terra, contra nossa felicidade na terra... A "imortalidade" que compete a todo Pedro e Paulo foi até agora o maior, o mais malévolo atentado à humanidade *nobre*. – *E* nós não menosprezamos a fatalidade que partiu do cristianismo e se introduziu furtivamente até na política! Hoje ninguém tem mais coragem para direitos privilegiados, para direitos de dominação, para um sentimento de reverência diante de si e seu igual – para um *pathos da distância*... A nossa política está enferma dessa falta de coragem! – O aristocratismo da intenção foi enterrado o mais profundo possível pela mentira da igualdade de almas; e se a crença no "privilégio da maioria" causa e *causará* revoluções, não há dúvidas de que o cristianismo, os juízos *cristãos* de valor são aquilo que traduz toda revolução apenas em sangue e crime! O cristianismo é uma insurreição de todos aqueles que rastejam no solo contra aquilo que tem *superioridade*: o Evangelho dos "inferiores" *torna* inferior...

44

– Os Evangelhos são inestimáveis como um testemunho da corrupção sem volta *no interior* da primeira comunidade. O que Paulo, com o cinismo lógico de um rabino, levou a cabo mais tarde foi, contudo, meramente o processo de decadência que se iniciou com a morte do salvador. – Esses

Evangelhos não podem ser lidos com suficiente cautela; eles têm suas dificuldades por detrás de cada palavra. Eu confesso – e serei escusado por isso – que, exatamente por isso, eles são um prazer de primeira grandeza para um psicólogo – como *oposição* a toda corrupção ingênua, como o refinamento *par excellence*, como a vocação artística na corrupção psicológica. Os Evangelhos são uma coisa à parte. A Bíblia não tolera em geral nenhuma comparação. Estamos em meio a judeus: o *primeiro* ponto de vista, para aqui não se perder por completo o fio da meada. A dissimulação, que aqui se tornou completamente gênio, de si mesmo em "sagrado", que, entre livros e homens, nunca é aproximativa, mas, antes, é atingida, essa contrafação de gestos e palavras como *arte* não é o estado de um talento individual qualquer, de uma natureza de exceção qualquer. A isso convém uma *raça*. No cristianismo, como a arte de mentir sagradamente, todo o judaísmo, uma propedêutica e uma técnica milenares da mais alta seriedade, chega à maior maestria. O cristão, essa *ultima ratio* [fundamento último] da mentira, é mais uma vez o judeu – e mesmo *três* vezes... – A vontade principista de apenas aplicar conceitos, símbolos, atitudes que são demonstrados pela práxis do sacerdote, a recusa instintiva de qualquer *outra* práxis, de qualquer *outra* espécie de perspectiva de valor e utilidade – isso não é apenas tradição, isso é *hereditariedade*: apenas como hereditariedade ela atua como natureza. A humanidade inteira, até mesmo as melhores cabeças das melhores épocas – (com exceção de uma, que talvez era apenas um Desumano) deixaram-se enganar. O Evangelho foi lido como um *livro da inocência*...: nenhum pequeno aviso sobre a maestria com a qual houve aqui uma encenação. – Sem dúvida: se nós, mesmo que de passagem, os *víssemos*, todos estes beatos e santos artificiais, isso então seria levado a cabo – e, precisamente pelo fato de *eu* não ler palavras sem enxergar sinais, *eu dou cabo a elas*... Eu não suporto uma certa forma neles de arregalar os olhos. – Por sorte, livros são, para a vasta maioria, meramente *literatura*. – Não se deve cair em equívoco: "não julgueis!" (Mt 1,7), eles dizem, mas mandam para o inferno tudo o que lhes obstrui o caminho. Ao fazerem com que Deus julgue, julgam eles mesmos; ao glorificarem Deus, glorificam-se a si mesmos; ao *exigirem* as virtudes das quais eles são agora capazes – mais ainda, das quais eles mesmos necessitam para se manterem no alto –, eles dão a si próprios a grande aparência de uma batalha pela virtude, uma luta pela dominação da virtude. "Nós vivemos, nós morremos, nós nos sacrificamos *pelo bem*" (a "verdade", "a luz", o "reino de Deus"): na verdade, eles fazem o que não podem deixar de fazer. Ao abrirem caminho à maneira dos moscas-mortas, sentarem-se no canto, vegetarem sombriamente nas sombras, eles fazem disso um *dever* para si mesmos: enquanto dever, a vida lhes parece como humildade, enquanto humildade ela é mais uma prova de devoção religiosa... Oh, essa forma humilde, casta, misericordiosa de fingimento! "A virtude deve dar o testemunho de nós"... O Evangelho é lido como livros de sedução com *moral*: a moral é confiscada por essa gentinha – eles sabem o que há de especial na moral! Faz-se *troça* da humanidade com a moral! – A realidade é que, aqui, a consciente *soberba dos escolhidos* brinca de modéstia: puseram-se a *si mesmos*, a "comunidade", os "bons e justos" de uma vez por todas de um lado, do lado "da verdade" – e o resto, o mundo, de outro... *Essa* foi a mais fatídica forma de megalomania que houve até então na Terra: pequenas deformidades beatas e mentirosas começaram a reivindicar para si os conceitos de "Deus", "verdade", "luz", "espírito", "amor", "sabedoria", "vida", como se fossem sinônimos deles próprios, para, assim, isolar o mundo contra si próprios, pequenos judeus superlativos, prontos para toda espécie de manicômio, inverteram os valores para *eles mesmos*, como se somente o cristão fosse o sentido, o sal, a medida, também o *juízo derradeiro* de todo o resto... A inteira fatalidade foi assim apenas permitida por haver uma espécie de megalomania aparentada, aparentada em termos de raça, a *judaica*: tão logo o abismo entre judeus e judeus-cristãos se abriu, os últimos não tiveram absolutamente nenhuma escolha a não ser aplicar os mesmos procedimentos de conservação de si, aconselhados pelo instinto judeu, *contra* os próprios judeus, ao passo que os judeus, até então, apenas os haviam aplicado contra tudo o que era *não* judeu. O cristão é apenas um judeu de confissão "mais livre".

45

– Eu dou algumas provas do que essa gentinha colocou na cabeça, das palavras que eles *colocaram na boca* do seu mestre: meras confissões de "belas almas".

"Se em algum lugar não vos receberem nem vos escutarem, ao sairdes de lá, sacudi a poeira dos pés em testemunho contra eles. Eu vos digo: de fato, no juízo final será mais tolerável estar em Sodoma e Gomorra do que em tal cidade" (Mc 6,11) – Que *evangélico*!...

"E quem escandalizar um destes pequeninos que creem, melhor seria se lhe atassem uma pedra de moinho ao pescoço e o jogassem no mar" (Mc 9,42) – Que *evangélico*!...

"E se teu olho for para ti ocasião de pecado, arranca-o. É melhor entrares com um só olho no reino de Deus do que com dois seres lançado no inferno, onde o verme não morre e o fogo não se apaga" (Mc 9,42) – Não é feita referência aqui exatamente ao olho...

"E lhes disse: eu vos asseguro: alguns dos que aqui se encontram não morrerão antes de verem chegar com poder o reino de Deus" (Mc 9,1) – *Que boa mentira*, leão...

"Se alguém quiser vir após mim, renuncie a si mesmo, tome a sua cruz e me siga. Pois..." (*observação de um psicólogo*: a moral cristã é refutada pelos seus "pois": refutar suas "razões" [*Gründe*], isso é cristão) (Mc 8,34).

"Não julgueis *para que* não sejais julgados [...] [A] medida com que medirdes será usada para medir-*vos*" (Mt 7,1). – Que conceito de justiça, de um juiz "justo"!...

"Pois se amais somente os que vos amam, *que recompensa tereis*? Não o fazem também os cobradores de impostos? E se saudais apenas vossos irmãos, *que fazeis de extraordinário*? Não o fazem também os cobradores de impostos?" (Mt 5,46) – Princípio do "amor cristão": no final das contas, ele quer ser bem *remunerado*...

"Mas, se não perdoardes aos outros, vosso Pai também não vos perdoará as ofensas" (Mt 6,15) – Bem comprometedor para o chamado "Pai"...

"Buscai, pois, em primeiro lugar o reino de Deus e sua justiça e todas estas coisas vos serão dadas de acréscimo" (Mt 6,33). Todas essas coisas, a saber, comida, roupa, tudo o que se carece para viver. Um *erro*, expresso de forma modesta... Logo depois Deus surge como alfaiate, ao menos em certos casos...

"Alegrai-vos nesse dia e exultai, porque grande será a vossa recompensa no céu. Pois assim fizeram os antepassados deles com os profetas" (Lc 6,23). Gentalha *desavergonhada*! Ela já se compara aos profetas...

"Não sabeis que sois templo de Deus, e que o Espírito de Deus habita em vós? Se alguém destrói o templo de Deus, *Deus o destruirá*. Pois o templo de Deus é santo, e esse templo sois vós" (1Cor 3,16) – Não se pode nunca desprezar o bastante uma tal coisa...

"Não sabeis que os santos vão julgar o mundo? E se o mundo for julgado por vós, sereis indignos de julgar coisas de menor importância?" (1Cor 6,2). Infelizmente não é apenas o discurso de um demente... Esse *vigarista medonho* prossegue com as seguintes palavras: "Não sabeis que nós vamos julgar os anjos? Quanto mais as coisas da vida diária!"...

"Acaso Deus transformou em loucura a sabedoria deste mundo? Uma vez que na sabedoria de Deus o mundo não o reconheceu pela sabedoria, Deus quis servir-se da loucura da pregação para salvar os que creem [...]. Não há muitos sábios segundo a carne, nem muitos poderosos, nem muitos nobres. Antes, o que o mundo acha loucura, *Deus o es-*

colheu para confundir os fortes; e o vil e desprezível aos olhos do mundo, o que não é nada, Deus o escolheu para destruir o que é, para que nenhum mortal se orgulhe diante de Deus" (1Cor 1,26-29). Para *compreender* essa passagem, um testemunho de primeira grandeza para a psicologia de toda moral de chandala, ler a primeira dissertação de minha *Genealogia da moral*: nela lançou-se luz, pela primeira vez, na oposição entre uma moral *nobre* e uma moral de chandala nascida de ressentimento e de uma vingança impotente. Paulo foi o maior de todos os apóstolos da vingança...

46

– *O que se segue disso?* Que é bom vestir luvas ao ler o Novo Testamento. A proximidade com tantas impurezas praticamente força a que se o faça. Nós não escolheríamos conviver com "primeiros cristãos", tampouco quanto com judeus poloneses; não que fosse necessária tão somente uma objeção contra eles... Ambos não cheiram bem. – Inutilmente eu busquei no Novo Testamento por um único sinal simpático que fosse; nada há aí que seja livre, bondoso, franco, probo. A humanidade ainda não fez aqui suas primícias – *faltam* os instintos da pureza. Há somente instintos *ruins* no Novo Testamento, não há sequer a coragem para esses instintos ruins. Tudo é covardia, tudo é um fechar de olhos e autoengano. Qualquer livro parece limpo, se se leu o Novo Testamento: para dar um exemplo, após Paulo eu li com embevecimento aquele satírico mais gracioso, mais impertinente que existe, Petrônio, do qual se poderia dizer o que Domenico Bocaccio escreveu sobre Cesare Borgia ao Duque de Parma: "*è tutto festo*" [tudo é festivo] – imortalmente sadio, imortalmente jovial, bem-feito... Ora, esses pequenos beatos se compensam no principal. Eles agridem, mas tudo o que é agredido por eles ganha, com isso, *distinção*. Quem é atacado por um "primeiro cristão" *não* é por ele conspurcado... Pelo contrário: é uma honra ter "primeiros cristãos" contra si. Não é possível ler o Novo Testamento sem uma predileção por aquilo que é aí maltratado – para não falar da "sabedoria desse mundo" que um fanfarrão atrevido tenta, em vão, escarnecer "por meio de uma pregação idiota". Mas mesmo os fariseus e escribas têm a sua vantagem em relação a tais adversários: eles precisavam ter sido algo de valor, para que fossem odiados de forma tão indecorosa. Hipocrisia – esta seria uma acusação que os "primeiros cristãos" *poderiam* ter feito! – Por fim, foram os *privilegiados*: isso basta, o ódio de chandala não precisa de mais nenhum motivo. O "primeiro cristão" – eu temo, também o último cristão", que *eu talvez ainda o tenha de presenciar* – é um rebelde, pelo seu instinto mais baixo, contra tudo o que é privilegiado – ele vive, ele luta sempre por "direitos *iguais*"... Considerado de maneira mais exata, ele não tinha opção. Se se deseja, para sua pessoa, ser um "escolhido de Deus" – ou um "templo de Deus" ou um "juiz dos anjos" –, então qualquer *outro* princípio de escolha, por exemplo a retidão, o espírito, a virilidade e orgulho, a beleza e liberdade do coração, pura e simplesmente o "mundo" – é *o mal em si*... Moral: qualquer palavra na boca de um "primeiro cristão" é uma mentira, qualquer ação que ele faça é uma falsidade instintiva – todos os seus valores, todos os seus objetivos são prejudiciais, mas *quem* ele odeia, *o que* ele odeia, *isto tem valor*... O cristão, mais especificamente o sacerdote cristão, é um *critério para valores*. – Precisaria eu ainda dizer que, em todo o Novo Testamento, surge meramente uma *única* figura que tem de ser honrada? Pilatos, o governador romano. Levar a *sério* um tema de judeus – ele não se convence a tanto. Um judeu a mais ou a menos – o que importa?... A nobre derrisão de um romano, diante do qual ocorre um maltrato desavergonhado da palavra "verdade", enriqueceu o Novo Testamento com a única palavra *que tem valor* – que é sua crítica, a sua própria *destruição*: "o que é verdade"!... (Jo 18,38).

47

– O que *nos* segrega não é que nós não reencontramos nenhum Deus nem na história, nem na natureza, nem por detrás da natureza – mas, antes, que aquilo que foi venerado como Deus não é sentido por nós como "divino", e sim como digno de comiseração, como absurdo, como prejudicial, não apenas como erro, e sim como um *crime contra a vida*... Nós denegamos Deus enquanto Deus... Se esse Deus dos cristãos nos fosse *demonstrado*, nós creríamos nele ainda menos. – Numa fórmula: *deus, qualem Paulus creavit, dei negatio* [Deus, conforme Paulo o criou, é a negação de Deus]. – Uma religião como o cristianismo, a qual não tem nenhum ponto de contato com a realidade, a qual imediatamente desaba tão logo a realidade se impõe em algum ponto que seja, tem de ser, com justiça, inimiga de morte da "sabedoria do mundo", quer dizer, da *ciência* – ela denomina bons todos os meios com os quais a disciplina do espírito, a pureza e rigor em assuntos da consciência moral do espírito, o nobre frescor e liberdade do espírito, podem ser envenenados, difamados, tornados *suspeitos*. A "crença" como imperativo é o *veto* contra a ciência – na *praxis*, a mentira a qualquer preço... Paulo *compreendeu* que a mentira – que "a crença" se fazia necessária; mais tarde a Igreja compreendeu Paulo mais uma vez. – Aquele "Deus" que Paulo inventou para si, um Deus que "escarneceu" da "sabedoria do mundo" (em sentido próprio, os dois maiores adversários de toda superstição: filologia e medicina), é, na verdade, apenas a *decisão* resoluta do próprio Paulo em relação a isso: chamar de "Deus" a sua própria vontade, *torah* [a lei], isto é originalmente judaico. Paulo *quer* escarnecer da "sabedoria do mundo": os seus adversários *são os bons médicos e filólogos da escola alexandrina* – é contra eles que Paulo declara guerra. De fato, não se é filólogo e médico sem ser, ao mesmo tempo, também *anticristo*. Ora, como filólogo enxerga-se por *trás* dos "livros sagrados", como médico, por *trás* da deterioração fisiológica do típico cristão. O médico diz "incurável", o filólogo, "trapaça"...

48

– A conhecida história que se encontra no início da Bíblia – sobre o medo infernal que Deus tem da *ciência* – foi verdadeiramente entendida?... Ela não foi entendida. Esse livro de sacerdotes *par ex-*

cellence começa, como é justo, com a grande dificuldade interna do sacerdote: ele corre apenas um único grande perigo, *por conseguinte* Deus corre apenas um único grande perigo.

O Deus antigo, "espírito" por completo, sumo sacerdote por completo, perfeição por completo, deambula em seu jardim: só que ele se entedia. Mesmo os deuses lutam em vão contra o tédio. O que ele faz? Ele inventa o homem – o homem o entretinha... Mas veja só, também o homem se entedia. A misericórdia de Deus, com a única necessidade que todo paraíso tem em si, não conhece nenhum limite: ele logo criou outros animais. O *primeiro* desacerto de Deus: os outros animais não entretinham o homem – ele os dominava, ele sequer queria ser "animal". – Consequentemente Deus criou a mulher. E, de fato, o tédio então terminou – mas também outras coisas! A mulher era o segundo desacerto de Deus. – "A mulher é, por sua essência, serpente, Eva" – isso todo sacerdote sabe; "da mulher advém toda desgraça no mundo" – isso também todo sacerdote sabe. "*Por conseguinte*, dela advém também a *ciência*"... Somente através da mulher é que o homem aprendeu a provar da árvore do conhecimento. – O que acontecera? O antigo Deus foi tomado de um medo infernal. O próprio homem tornara-se seu *maior* desacerto, ele fizera para si um rival, a ciência o torna *igual a Deus* – terminam-se os sacerdotes e deuses, quando o homem se torna científico! – *Moral*: a ciência é a proibição em si – apenas ela é proibida. A ciência é o *primeiro* pecado, o gérmen originário de todos os pecados, o pecado *original. Apenas isso é moral.* – "Tu *não* deves conhecer": – o resto é consequência disso. – O medo infernal de Deus não o impede de ser esperto. Como *defender*-se contra a ciência? Esse foi por muito tempo o seu principal problema. Resposta: expulsar o homem do paraíso! A felicidade, a ociosidade faz pensar – todos os pensamentos são pensamentos ruins... O homem *não* deve pensar. – E o "sacerdote em si" inventa a necessidade, a morte, o perigo de vida na gravidez, toda forma de miséria, velhice, fadiga, sobretudo a *doença* – puros instrumentos na luta contra a ciência! A necessidade não *permite* ao homem pensar... E, contudo, que horror! As obras do conhecimento se acumulam, alçando-se aos céus, crepusculando os deuses – que fazer? – O antigo Deus inventa a *guerra*, ele separa os povos, ele faz com que os homens se aniquilem a si mesmos (aos sacerdotes a guerra sempre foi necessária...). A guerra – entre outras coisas, a grande perturbadora da ciência! – Inacreditável! O conhecimento, a *emancipação* em relação ao sacerdote, até mesmo faz aumentarem as guerras. – E uma última decisão é tomada pelo antigo Deus: "o homem tornou-se científico – *isso não ajudou em nada, é preciso afogá-lo!*"...

49

– Eu fui compreendido. O início da Bíblia contém a *inteira* psicologia do sacerdote. – O sacerdote conhece apenas um único grande perigo: trata-se da ciência – o conceito sadio de causa e efeito. Mas a ciência prospera no todo apenas sob felizes circunstâncias – é preciso ter tempo, é preciso ter o espírito *ocioso*, para "conhecer"... "Por conseguinte, é preciso tornar o homem infeliz" – essa foi sempre a lógica do sacerdote. – Já se adivinha *o que*, conforme essa lógica, veio primeiramente ao mundo com isso: o "pecado". O conceito de culpa e punição, toda a "ordem moral do mundo" é inventada *contra* a ciência – *contra* a separação do homem em relação ao sacerdote... O homem *não* deve olhar para fora, ele deve olhar para dentro de si; ele *não* deve olhar para *dentro* das coisas de forma inteligente e cuidadosa como alguém que aprende, ele não deve em absoluto ver: ele deve *sofrer*... E ele deve sofrer de tal modo a que tenha sempre necessidade do sacerdote. – Acabem com os médicos! *É necessário um redentor!* – O conceito de culpa e punição, incluindo aqui a doutrina da "graça", da "salvação", do "perdão" – mentira por completo e sem qualquer realidade psicológica –, são inventados para destruir o *sentido de causas* do homem: eles são o atentado contra o conceito de causa e efeito! – e *não* um atentado com o punho, com a faca, com a sinceridade em ódio e amor. Mas, antes, a partir dos instintos mais covardes, mais ardilosos, mais baixos! Um atentado de sacerdotes! Um atentado de *parasitas*! Um vampirismo de pálidas sanguessugas subterrâneas!... Se as consequências naturais de um ato não são mais "naturais", mas, antes, pensadas como efeitos de conceitos fantasmagóricos da superstição, de "Deus", de "espíritos", de "almas", como meras consequências "morais", como recompensa, punição, advertência, meios para instrução, então é destruído o pressuposto para o conhecimento – *assim foi cometido o maior crime contra a humanidade.* – O pecado, digo mais uma vez, essa forma *par excellence* de profanação de si do homem, foi inventado para tornar impossíveis a ciência, a cultura, qualquer forma de elevação e nobreza do homem; o sacerdote *domina* por meio da invenção do pecado.

50

Eu não me eximo aqui de apresentar uma psicologia da "crença", do "crente", para proveito, como é justo, do próprio "crente". Como hoje em dia não faltam aqueles que não sabem o quanto é *indecoroso* ser "crente" – *ou* uma marca distintiva de *décadence*, de uma vontade alquebrada de vida –, amanhã mesmo eles o saberão. A minha voz atinge até mesmo os que têm problemas de audição. Se entendi corretamente, parece que há entre os cristãos uma espécie de critério da verdade que se denomina "a demonstração da força". "A crença leva à bem-aventurança: *portanto*, ela é verdade". – Seria possível primeiramente objetar aqui que o levar-à-bem-aventurança não é demonstrado, mas, antes, apenas *prometido*: a bem-aventurança ligada à condição da "crença" – alguém *deve* ser bem-aventurado, porque crê... Mas *que* de fato se dê o que sacerdote promete ao crente para o "além" inacessível a qualquer controle, como *isso* pode ser demonstrado? – No fundo, pois, a suposta "força da demonstração" é novamente apenas uma crença de que não tarda o efeito que se promete com a crença. Na fórmula: "eu creio que a crença leva à bem-aventurança; – *por conseguinte*, ela é verdadeira". Mas com isso já terminamos. Esse "por conseguinte" seria um *absurdum* mesmo como critério da verdade. – Com certa indulgência, contudo, suponhamos que o levar-à-bem-aventurança seja demonstrado pela crença – *não* apenas desejado, não apenas prometido pela boca um pouco suspeita de um sacerdote: seria a bem-aventurança – dito tecnicamente, seria o *prazer* alguma vez uma demonstração da verdade? Muito pouco: na verdade quase é fornecida a demonstração contrária, em todo caso, a mais alta suspeita contra a "verdade", quando sensações de prazer têm voz na questão "o que é verdadeiro". A demonstração do "prazer" é uma demonstração para o "prazer" – nada mais; em que parte do mundo se estaria certo de que juízos verdadeiros provocam mais agrado do que falsos, e, conforme uma harmonia preestabelecida, que atrairiam necessariamente consigo sentimentos agradáveis? – A experiência de todos os espíritos rigorosos, de todos os espíritos de profunda índole, ensina *o inverso*. Foi preciso pelejar por cada pequeno passo de verdade, foi preciso abrir mão de quase tudo a que em geral se apega nosso coração, nosso amor, nossa confiança na vida. Carece-se, para tanto, de grandeza de alma: o serviço da verdade é o serviço mais duro que há. – Ora, o que significa ser *probo* em coisas do espírito? Significa ser rigoroso contra seu coração, desprezar os "belos sentimentos", constituir uma consciência moral a partir de cada Sim e Não! – A crença leva à bem-aventurança: *por conseguinte*, ela mente...

51

Que a crença, sob certas circunstâncias, leva à bem-aventurança, que a bem-aventurança ainda não se torna uma ideia verdadeira a partir de uma ideia fixa, que a crença não move montanhas, mas, antes, coloca *montanhas* onde antes não havia: uma pequena volta num *manicômio* elucida muito bem isso. Decerto, não um sacerdote: pois ele renega, por instinto, que doença seja doença, que manicômio seja manicômio. O cristianismo torna *necessária* a doença, mais ou menos como a Grécia antiga torna necessário um excesso de saúde – *tornar* enfermo é a genuína segunda intenção de todo o sistema de processos de salvação da Igreja. E a própria Igreja – ela não é o manicômio católico como ideal derradeiro? – Toda a Terra como manicômio? – O homem religioso, como a Igreja o *quer*, é um típico *décadent*: o momento em que uma crise religiosa domina um povo é sempre marcado por epidemias nervosas; o "mundo interno" do homem religioso se confunde com o "mundo interno" dos exaltados e esgotados; os estados "supremos", que o cristianismo pendurou por cima da humanidade como o valor de todos os valores, são formas epileptoides – a Igreja canonizou, *in majorem dei honorem* [para a maior honra a Deus], apenas loucos *ou* grandes embusteiros... Uma vez me permiti designar todo o *training* cristão da penitência e salvação como uma *folie circulaire* [loucura cíclica] metodicamente produzida em um solo, com muita justiça, já preparado para tanto, ou seja, em um solo fundamentalmente mórbido. Ninguém está livre para tornar-se cristão: não se é "convertido" ao cristianismo – é preciso ser enfermo o suficiente para tanto... Nós, outros, que temos a *coragem* para a saúde *e* também para o desprezo, o quanto *nós* podemos desprezar uma religião que ensina a compreender equivocadamente o corpo! Que não quer livrar-se da superstição das almas! Que faz da desnutrição um "mérito"! Que combate a saúde como uma espécie de inimigo, demônio, tentação! Que sugere ser possível transladar uma "alma perfeita" a um cadáver, tornando-se necessário, para tanto, arranjar um novo conceito de "perfeição", um ser pálido, doentio, idiotamente fanático, a chamada "santidade" – santidade, ela mesma apenas uma série de sintomas do corpo que se extenuou, se enervou, se corrompeu sem salvação!... Como um movimento europeu, o movimento cristão é, desde o princípio, um inteiro movimento de refugos e rebotalhos de toda espécie: – estes querem tomar o poder com o cristianismo. Eles *não* exprimem a decadência de uma raça, eles são a formação agregativa de formas de *décadence* que se apinham e se procuram vindas de todas as partes. *Não foi*, como se crê, a corrupção da própria antiguidade, da *nobre* antiguidade, o que possibilitou o cristianismo: não se pode rebater com suficiente dureza o idiotismo erudito que ainda hoje sustenta algo assim. Na época em que as camadas chandalas enfermas, corrompidas, se cristianizavam em todo o *imperium*, já existia o *tipo contraposto*, a nobreza, em sua forma mais bela e madura. A maioria se tornou senhor; o democratismo dos instintos cristãos *triunfou*... O cristianismo não era "nacional", não era condicionado a uma raça – ele se voltou a toda espécie de deserdados da vida, ele tinha aliados por todas as partes. O cristianismo tem a *rancune* [rancor] dos enfermos como fundamento, o instinto dirigido *contra* os saudáveis, *contra* a saúde. Tudo o que seja bem-sucedido, orgulhoso, altivo, sobretudo a beleza lhe machuca os olhos e os ouvidos. Eu recordo mais uma vez as inapreciáveis palavras de Paulo: "Antes, o que o mundo acha *loucura*, Deus o escolheu [...], e o *vil* e *desprezível* aos olhos do mundo, o que não é *nada*, Deus o escolheu" (1Cor 1,27): esta foi a fórmula, *in hoc signo* [com esse signo], a *décadence* triunfou. – *Deus na cruz* – ainda não se compreendeu a terrível segunda intenção desse símbolo? – Tudo o que sofre, tudo o que está pendurado na cruz é divino... Nós todos estamos pendurados na cruz, por conseguinte *nós* somos divinos... Apenas nós somos divinos... O cristianismo foi um triunfo, uma intenção mais nobre pereceu por causa dele – o cristianismo foi até agora a maior infelicidade da humanidade.

52

O cristianismo também se opõe a tudo o que é bem-sucedido em termos de espírito – ele somente *consegue* utilizar a razão enferma como razão cristã, ele toma o partido de tudo o que é idiota, ele formula a maldição contra o "espírito", contra a *superbia* [soberba] do espírito sadio. Uma vez que a enfermidade pertence à essência do cristianismo, também o estado cristão típico, "a crença", *tem de* ser uma forma de enfermidade, todos os caminhos científicos, direitos, probos para o conhecimento *têm de* ser recusados pela Igreja como caminhos *proibidos*. A dúvida já é um pecado... A falta completa de pureza psicológica no sacerdote – que se denuncia no olhar – é uma *sequela* da *décadence* – observem-se as mulheres histéricas e, por outro lado, as crianças raquíticas para perceber o quão frequentemente a falsidade por instinto, a vontade de mentir por mentir, a incapacidade de olhares e passos direitos, são a expressão da *décadence*. "Crença" significa não-*querer*-*saber* o que é verdadeiro. O pietista, o sacerdote de ambos os sexos, é falso, *porque* ele está enfermo: o seu instinto *exige* que a verdade não se imponha em nenhum ponto. "O que torna enfermo é *bom*; o que provém do excesso, da abundância, da potência, é *mau*": o crente sente assim. *Ser um cativo da mentira* – assim eu adivinho quem está predestinado a ser teólogo. – Uma outra marca distintiva do teólogo é sua incapacidade para a filologia. Por filologia deve ser aqui entendida, em sentido muito geral, a arte de ler bem – conseguir ler fatos *sem* falseá-los através de interpretações, sem perder a cautela, a paciência, a fineza na ânsia por entender. Filologia como *ephexis*[7] na interpretação: trate-se de livros, notícias de jornal, destino ou fatos meteorológicos – para não mencionar a "salvação da alma"... A forma como um teólogo, tanto faz se em Berlim ou em Roma, interpreta uma "passagem dos Escritos" ou um acontecimento, uma vitória das tropas da pátria, por exemplo, sob uma elevada iluminação pelos salmos de Davi, é sempre de tal modo *ousada* que faz com que um filólogo suba pelas paredes. E o que ele deve em absoluto fazer quando pietistas e outras bestas da Suábia concebem, com o "dedo de Deus", o miserável cotidiano e o cubículo esfumaçado de sua existência como um milagre de "graça", de "providência", de "experiências da salvação"! O dispêndio mais modesto de espírito, para não dizer de *decoro*, precisaria levar esses intérpretes a confessar tratar-se de uma perfeita puerilidade e indignidade um tal abuso da destreza dos dedos divinos. Com uma quantidade tão pequena de devoção no peito, um Deus que na hora certa cura de constipação ou num piscar de olhos nos faz subir numa carruagem quando começa a cair uma forte chuva, deve parecer-nos um Deus tão absurdo que precisaria ser eliminado, mesmo se ele existisse. Um Deus como criado doméstico, como carteiro, como homem do calendário [*Kalendermann*] no fundo, uma palavra para as mais estúpidas eventualidades...

A "providência divina", como nela crê hoje por volta de um em cada três homens na "educada Alemanha", seria uma objeção contra Deus como em absoluto não poderia ser pensada. E, em todo caso, trata-se de uma objeção contra alemães!...

53

– Que *mártires* provem algo que seja para a verdade de alguma coisa é tão pouco verdadeiro que eu gostaria de renegar que algum mártir já tenha tido alguma coisa que ver com a verdade. Já no tom com que um mártir joga na cara do mundo seu assentimento exprime-se um grau tão baixo de retidão intelectual, um embotamento tal para a questão sobre a verdade que nunca nem é preciso refutar um mártir. A verdade não é nada que uma pessoa teria e outra não teria; podem pensar dessa maneira sobre a verdade, no máximo, camponeses ou apóstolos camponeses à moda de Lutero. Pode-se estar certo que a modéstia, a *moderação* aumenta, nesse ponto, tanto maior é o grau que se é consciencioso em coisas do espírito. *Saber* em cinco temas e, com mãos macias, recusar saber *algo mais*... "Verdade", como a entende a palavra de todo profeta, todo membro de uma seita, todo espírito livre, todo socialista, todo homem de igreja, é uma demonstração perfeita de que ainda sequer principiou aquela disciplina do espírito e superação de si que se fazem necessárias para encontrar uma pequena verdade qualquer, por menor que ela seja. – A propósito, as mortes dos mártires foram uma grande infelicidade na história: elas *se-*

duziam... A conclusão de todos os idiotas, incluindo as mulheres e o povo, de que há algo relevante em uma causa para a qual alguém morre (ou até mesmo, como no cristianismo inicial, que produz sedentos de morte de forma epidêmica) – essa conclusão foi, de forma indizível, um freio para o exame, para o espírito de exame e cautela. Os mártires *danificaram* a verdade... Ainda hoje em dia se carece apenas de uma crueldade da perseguição, para conferir um nome honrável a uma seitazinha qualquer. – Como? Muda-se algo no valor de uma coisa o fato de que alguém deixe sua vida para ela? – Um erro que se torna honrável é um erro que possui um apelo adicional em sedução: vocês acreditam, senhores teólogos, que nós lhes daríamos um ensejo para torná-los mártires por suas mentiras? – Refuta-se uma coisa ao congelá-la de modo respeitoso – dessa forma refutam-se também teólogos... A estupidez histórica de todos perseguidores na história do mundo foi justamente que eles deram à causa inimiga o aspecto de algo honrável – que eles lhe deram de presente a fascinação do martírio... A mulher ainda hoje se prostra de joelhos diante de um erro, pois lhe foi dito que alguém morreu na cruz por isso. *Ora, a cruz é um argumento?* Mas sobre todas as coisas apenas um único proferiu a palavra que teria sido necessária desde milênios – *Zaratustra*.

Eles marcaram seu caminho de traços sangrentos, e sua loucura ensinava que a verdade se demonstra pelo sangue vertido.

Mas o sangue é o pior testemunho da verdade; o sangue envenena a doutrina mais pura, e a torna uma loucura, um ódio no fundo dos corações.

E passar através do fogo por sua doutrina – o que isso demonstra? Sem dúvida vale mais que nossa doutrina nasça do nosso próprio braseiro[8].

54

Não se deixe enganar: grandes espíritos são céticos. Zaratustra é um cético. O vigor, a *liberdade* provinda da força e da sobreforça se demonstra através do ceticismo. Homens de convicção não são em absoluto levados em consideração para tudo o que seja fundamental em termos de valor e não valor. Convicções são prisões. Não veem longe o suficiente, não veem *abaixo* de si: mas para que se possa ter a palavra para falar sobre valor e não valor, é preciso ver quinhentas convicções *abaixo* de si – vê-las *atrás* de si. Um espírito que quer algo grande, que também quer os meios para tanto, é necessariamente cético. A liberdade em relação a qualquer espécie de convicções *faz parte* do vigor, o poder-olhar-livremente... A grande paixão, o fundamento e o poder de seu Ser, ainda mais esclarecida, mais despótica do que ele próprio o é, põe todo o seu intelecto a seu serviço; ela o torna irrefletido; ela lhe dá coragem até mesmo para meios não santos; sob certas circunstâncias, ela lhe *agracia* com convicções. A convicção como *meio*: muitas coisas podem ser obtidas por meio de uma convicção. A grande paixão precisa de [*braucht*], consome [*verbraucht*] convicções, ela não se lhes sujeita – ela se sabe soberana. – Inversamente: carecer de crença, de alguma coisa qualquer incondicionada de Sim e Não, o carlylismo, se me permitem utilizar a palavra, é uma carência da *fraqueza*. O homem de crença, o "crente" de toda espécie é necessariamente um homem dependente – um tal que não pode colocar a *si mesmo* como fim, que em geral não pode colocar fins por si mesmo. O "crente" não pertence a *si*, ele somente pode ser um meio, ele precisa ser *consumido*, ele tem necessidade de alguém que o consuma. O seu instinto confere a honra suprema a uma moral da perda de si: tudo o convence para tanto, sua prudência, sua experiência, sua vaidade. Toda espécie de crença é, ela mesma, uma expressão de perda de si, de alienação de si. Considere quão necessária é, para a vasta maioria, uma regulação que do exterior a vincule e fixe, como a coerção, no sentido mais elevado, a *escravidão*, a última e única condição sob a qual prospera o homem de vontade fraca, especialmente a mulher: dessa forma também é entendida a convicção, a "crença". O homem de convicção tem nela sua espinha dorsal. *Não* ver muitas coisas, não ser neutro em nenhum ponto, tomar partido absolutamente sempre, ter uma ótica rigorosa e necessária em todos os valores – apenas isso leva a que uma tal espécie de homem exista. Mas, assim, ela é o oposto, o *antagonista* do que é sincero – da verdade... O crente não está livre para ter em geral uma consciência moral a respeito da questão sobre o "verdadeiro" e o "não verdadeiro": *nesse* ponto, ter retidão significaria imediatamente seu perecimento. A condicionalidade patológica de sua ótica faz do convencido um fanático – Savonarola, Lutero, Rousseau, Robespierre, Saint-Simon –, o tipo contraposto do espírito forte, do espírito que se tornou *livre*. Mas a grande atitude desse espírito *enfermo*, esse epilético do conceito, tem efeito na grande massa – os fanáticos são pitorescos, a humanidade prefere ver gestos a ouvir *razões*...

55

– Um passo adiante na psicologia da convicção, da "crença". Já faz algum tempo que me dediquei a considerar se as convicções são inimigos da verdade mais perigosos do que as mentiras (*Humano, demasiado humano*, § 483). Desta vez eu gostaria de propor a questão decisiva: entre a mentira e a convicção existe de fato uma oposição? – Todo o mundo crê que sim; mas em que não crê todo o mundo! – Toda e qualquer convicção tem sua história, suas prefigurações, suas tentativas e desacertos: ela torna-se convicção após *não* ser uma por um longo tempo, após ela *dificilmente* ser uma por um tempo ainda maior. Como? Sob essas formas embrionárias da convicção, não poderia ela ser também a mentira? – Por vezes ela carece apenas de uma mudança de pessoa: no filho torna-se convicção aquilo que, no pai, ainda era mentira. – Eu chamo de mentira *não* querer ver algo que se vê. Não querer ver algo *como* se vê: se a mentira ocorre diante de testemunhas ou sem testemunhas, isto não é levado em consideração. A mentira mais comum é aquela com a qual alguém mente a si mesmo; em relação a isso, mentir aos outros é um caso excepcional. – Ora, é esse *não*-querer-ver o que se vê, esse não-querer-ver-*como* se vê é como que a condição primeira para tudo o que é *partido* em um sentido qualquer: o homem de partido torna-se necessariamente um mentiroso. A historiografia alemã, por exemplo, está convicta de que Roma era o despotismo, que os germânicos trouxeram o espírito da liberdade ao mundo: qual é a diferença entre essa convicção e uma mentira? Ainda é de admirar-se quando, por instinto, todos os partidos, também os historiadores alemães, levem à boca as grandes palavras da moral – que a moral como que ainda *subsista* pelo fato de toda espécie de homem de partido dela necessitar em todos os instantes? – "Essa é a *nossa* convicção: nós a confessamos diante de todo o mundo, nós vivemos e morremos por ela – respeito por tudo que tem convicções!" – uma tal coisa eu ouvi vindo da boca mesmo de antissemitas. Pelo contrário, meus senhores! Um antissemita não se torna nem um pouco mais decoroso por mentir por princípios... Os sacerdotes, que nessas coisas são mais finos e entendem muito bem a objeção que repousa no conceito de uma convicção, isto é, de um fingimento por princípio, porque oportuno a um fim, herdaram dos judeus a prudência de, nesse ponto, interpor os conceitos de "Deus", "vontade de Deus", "revelação de Deus". Também Kant, com seu imperativo categórico, tomou o mesmo caminho: a sua razão tornou-se aqui *prática*. – Há questões em que não cabe ao homem a decisão sobre verdade e não verdade; todas as questões mais elevadas, todos os problemas mais elevados de valor estão para além da razão humana... Compreender os limites da razão – somente *isto* é genuinamente filosofia... Para que Deus deu a revelação ao homem? Teria Deus feito algo supérfluo? O homem não *pode* saber por si mesmo o que é bom e mau, por isso Deus lhe ensinou sua vontade... Moral: o sacerdote *não* mente – a questão sobre "verdadeiro" ou "não verdadeiro" em tais coisas sobre as quais fala o sacerdote não permite que se minta. Pois, para mentir, seria preciso poder decidir *o que* é verdadeiro aqui. Mas isso justamente o homem não *pode*; com isso, o sacerdote é apenas a embocadura de Deus. – Um tal silogismo de sacerdote não é absolutamente apenas judeu ou cristão: o direito à mentira e a prudência da "revelação" pertencem ao tipo do sacerdote, aos sacerdotes da *décadence*, como aos sacerdotes do paganismo (pagãos são todos que dizem Sim à vida, aos quais "Deus" é a palavra para o grande Sim a todas as coisas) – A "lei", a "vontade de Deus", o "livro sagrado", a "inspiração" – tudo isso apenas palavras para as condições *sob* as quais o sacerdote toma o poder, *com* as quais ele mantém seu poder – esses conceitos se encontram no fundamento de todas as organizações de sacerdote, de todas as formações sacerdotais ou filosófico-sacerdotais de dominação. A "mentira sagrada" – comum a Confúcio, ao *Código de Manu*, à Igreja cristã: ela tampouco falta em Platão. "A verdade está aqui": isso significa, onde quer que seja dito, que *o sacerdote mente...*

56

– Por fim, é importante o fim para o qual se mente. Que faltem fins "sagrados" no cristianismo, esta é a *minha* objeção contra seus meios. Apenas fins *ruins*: envenenamento, difamação, negação da vida, o desprezo do corpo, aviltamento e profanação de si do homem através do conceito de pecado – *por conseguinte*, também seus meios ruins. – Eu leio com um sentimento contrário o *Código de Manu*, uma obra incomparavelmente de mais espírito e mais elevada; seria um pecado contra o espírito só mesmo nomeá-la de um só golpe junto com a Bíblia. Adivinha-se de imediato: ela tem uma verdadeira filosofia por trás de si, *em* si, não apenas um fétido judaísmo de rabinos e superstição – ela dá algo de comer até mesmo ao psicólogo mais exigente. *Não* esquecer o fundamental, a principal diferença em relação a qualquer espécie de Bíblia: os estamentos *nobres*, os filósofos e os guerreiros, erguem-se com ela por cima da multidão; valores nobres por todas as partes, um sentimento de perfeição, um dizer-Sim à vida, um bem-estar triunfante em si e na vida – o *sol* está por todo o livro. – Todas as coisas sobre as quais o cristianismo descarrega sua patifaria insondável, por exemplo, a procriação, a mulher, o casamento, são aqui tratadas seriamente, com reverência, com amor e confiança. Como é de fato possível colocar nas mãos de crianças e mulheres um livro que contém estas palavras abjetas: "Em virtude da prostituição, é melhor que cada homem tenha sua mulher, e cada mulher tenha o seu marido; casem-se, pois é melhor casar do que abrasar-se" (1Cor 7,2; 7,9). E é *permitido* ser cristão enquanto se cristianiza, com o conceito de *immaculata conceptio* [concepção imaculada], o surgimento do homem, isto é, o conspurca?... Eu não conheço nenhum livro no qual são ditas coisas tão delicadas e bondosas sobre a mulher como no *Código de Manu*; esses santos e idosos de barbas grisalhas têm uma maneira de serem polidos com as mulheres que talvez não foi superada. "A boca de uma mulher – é dito –, o colo de uma garota, a prece de uma criança, a fumaça de um sacrifício são sempre puros." Uma outra passagem: "não há absolutamente nada mais puro do que a luz do sol, a sombra de uma vaca, a luz, a água, o fogo e a respiração de uma garota". Uma última passagem – talvez também uma mentira sagrada –: "Todos os orifícios do corpo acima do umbigo são puros, todos abaixo são impuros. Apenas em uma garota todo o corpo é puro".

57

A *não santidade* dos meios cristãos é pega em flagrante quando o fim cristão é medido com base no fim do *Código de Manu* – se essa oposição suprema de fins é trazida a uma forte luz. O crítico do cristianismo não é poupado de tornar *desprezível* o cristianismo. – Um código tal como o de Manu surge como todo bom código: ele resume a experiência, a prudência e a moral experimental de longos séculos, ele não encerra, ele não cria nada a mais. A pressuposição de uma codificação dessa espécie é o discernimento de que os meios de conferir autoridade a uma verdade adquirida lenta e onerosamente são fundamentalmente distintos daqueles com os quais seria possível demonstrá-los. Um código nunca relata a utilidade, as razões, a casuística na pré-história de uma lei: dessa maneira ele perderia o tom de imperativo, o "tu deves", a pressuposição para que ele seja obedecido. O problema repousa exatamente aqui. – Em um certo ponto do desenvolvimento de um povo, a sua camada mais judiciosa, isto é, que lança mais olhares para trás e para fora, declara como encerrada a experiência pela qual se deve viver – isto é, se *pode* viver. O seu objetivo consiste em levar para casa, da forma mais rica e completa possível, a colheita dos tempos de experimento e *má* experiência. Por conseguinte, o que acima de tudo se deve evitar hoje é o continuar-fazendo-experimentos, a permanência do estado volátil dos valores, o examinar, o eleger, o exercer a crítica dos valores *in infinitum*. Um duplo muro é erigido contra isso: primeiramente, a *revelação*, ou seja, a afirmação de que a razão daquelas leis *não* tem proveniência humana, *não* é procurada e encontrada lentamente e com desacertos, mas, antes, sendo de origem divina, é meramente comunicada, por inteiro, com perfeição, sem história, uma dádiva, um milagre... Na sequência, a *tradição*, ou seja, a afirmação de que a lei já existiria desde tempos imemoriais, de que seria ímpio, seria um crime aos antepassados colocá-la em dúvida. A autoridade da lei se funda com a tese: Deus a *deu*, os antepassados a *viveram*. – A razão mais elevada de um tal procedimento repousa na intenção de, passo a passo, repelir a consciência em relação à vida reconhecida como correta (i. é, demonstrada por meio de uma experiência imensa e rigorosamente peneirada): de modo a que o perfeito automatismo do instinto seja atingido – essa pressuposição de toda espécie de maestria, de toda espécie de perfeição na arte da vida. Estabelecer um código à maneira do de Manu significa conceder que um povo daqui em diante torne-se mestre, torne-se perfeito – ambicionar a arte suprema da vida. *Para tanto, é preciso que isso seja feito inconscientemente*: esse é o fim de toda mentira sagrada. – A ordem das castas, a lei suprema, a lei dominante, é apenas a sanção de uma *ordem natural*, uma legalidade natural de primeiro escalão, sobre a qual nenhum arbítrio, nenhuma "ideia moderna" tem poder. Em qualquer sociedade sadia divergem, condicionando-se reciprocamente, três tipos de gravitação fisiológica distinta, cada qual possuindo sua própria higiene, seu próprio reino de trabalho, sua própria espécie de maestria e sentimento de perfeição. A natureza, *não* Manu, separa, uns dos outros, os que são preponderantemente de espírito, os que são preponderantemente fortes de músculos e de temperamento, e, num terceiro grupo, os que não se destacam nem em um nem no outro, os medíocres – os últimos como a maioria, os primeiros como os selecionados. A casta suprema – eu a denomino *os pouquíssimos* – tem, como a casta perfeita, também os privilégios dos pouquíssimos: dentre esses privilégios está o de apresentar a felicidade, a beleza e a bondade sobre a Terra. Apenas os homens de maior espírito têm a permissão à beleza, *ao* belo: apenas para eles a bondade não é fraqueza. *Pulchrum est paucorum hominum* [a beleza é para poucos homens]: o bem é um privilégio. Pelo contrário, nada pode lhes convir menos do que más maneiras ou um olhar pessimista, um olho que *torna algo detestável* – ou mesmo uma indignação diante do aspecto geral das coisas. A indignação é o privilégio dos chandalas; assim como o pessimismo. "*O mundo é perfeito* – assim fala o instinto dos de espírito, do instinto que fala Sim –; a imperfeição, o abaixo-de-nós de toda espécie, a distância, o *pathos* da distância, o próprio chandala não faz parte dessa perfeição." Os homens de maior espírito, como aqueles que são os mais fortes, encontram sua felicidade onde os demais encontrariam seu perecimento: no labirinto, na severidade consigo próprio e para com os outros, na busca; o seu prazer é na subjugação de si: o ascetismo se torna neles natureza, carência, instinto. A difícil tarefa é considerada por eles como privilégio, jogar com fardos que esmagam os demais é um *relaxamento*... conhecimento – uma forma de ascetismo. – Eles são a espécie mais reverenciável de homem: isso não exclui o fato de eles serem os mais joviais, os mais adoráveis. Eles não dominam porque eles querem, mas, antes, porque eles *são*, eles não são livres para serem os segundos. – *Os segundos*: são os guardiões do direito, os cuidadores da ordem e da segurança, são os nobres guerreiros, isto é, sobretudo o *rei* como a forma suprema de guerreiro, juiz e mantenedor da lei. Os segundos são o executivo dos de maior espírito, o que lhes compete como o mais próximo, aquilo que lhes tira tudo o que há de *grosseiro* no trabalho do dominador – o seu séquito, sua mão direita, seus melhores estudantes. – Dito mais uma vez, nisso tudo não há nada de arbitrário, nada "feito"; feito é o que há de *diferente* – escarnece-se assim da natureza... A ordem das castas, a *ordem hierárquica*, formula apenas a lei suprema da própria vida, a separação dos três tipos é necessária para a conservação da sociedade, para que tornem possíveis tipos elevados e supremos – a *desigualdade* dos direitos é somente a condição para que haja em geral direitos. – Um direito [*Recht*] é um privilégio [*Vorrecht*]. Em sua forma de ser, qualquer um tem seu privilégio. Não menosprezemos os privilégios dos *medíocres*. Quanto maior é a *superioridade* da vida, tanto mais ela é dura – o frio aumenta, a responsabilidade aumenta. Uma cultura elevada é uma pirâmide: ela só pode repousar sobre um solo extenso, ela tem primeiramente como pressuposto uma mediocridade forte e sadiamente consolidada. A manufatura, o comércio, a agricultura, a *ciência*, a maior parte da arte, em uma palavra, o conjunto completo das atividades profissionais somente é plenamente compatível com uma mediocridade no desejar e poder: algo parecido estaria fora de lugar entre as exceções, o instinto que lhes pertence contradiria tanto o aristocratismo como o anarquismo. Que se tenha uma utilidade pública, uma roda, uma função, para tanto há uma destinação natural: não a *sociedade*, a espécie de *felicidade* da qual a vasta maioria é meramente capaz, faz deles máquinas inteligentes. Para os medíocres, ser medíocre é uma felicidade; a maestria em uma única coisa, a especialidade, um instinto natural. Para um espírito profundo seria absolutamente indigno ver uma objeção na mediocridade em si. Ela própria é a *primeira* necessidade para que possa haver exceções: uma cultura elevada é condicionada por ela. Quando o homem de exceção maneja a mediocridade com dedos mais delicados do que aqueles com os quais maneja a si mesmo e a seus iguais, isso então não é apenas uma cortesia do coração – trata-se simplesmente de seu *dever*... Quem eu mais odeio de toda a escória de hoje? A escória de socialistas, os apóstolos da chantala, que, com seu pequeno ser, solapam o instinto, o prazer, o sentimento de frugalidade do trabalhador – que o tornam invejoso, que lhe ensinam a vingança... A injustiça jamais repousa em direitos desiguais, ela repousa na pretensão de direitos "*iguais*"... O que é *ruim*? Mas eu já o digo: tudo o que provém da fraqueza, da inveja, da *vingança*. O anarquista e o cristão têm a mesma proveniência...

58

De fato, há uma diferença em relação ao fim para o qual se mente: se com ele se conserva ou se *destrói*. É possível estabelecer uma relação perfeita de igualdade entre um *cristão* e um *anarquista*: o seu fim, seu instinto só concerne à destruição. A prova para essa proposição pode ser somente inferida da história: ela a contém numa distinção estarrecedora. Ora, se conhecemos uma legislação religiosa cujo fim era "eternizar" uma grande organização da sociedade, a condição suprema para que a vida prospere, então o cristianismo encontra aqui sua missão, justamente dar cabo a uma tal organização, *pois nela a vida prosperava*. Ali os rendimentos da razão, adquiridos durante um longo período de experimento e incerteza, deveriam ser aplicados com vistas à utilidade mais longínqua possível, e a colheita deveria ser trazida para casa da forma mais vistosa, mais rica, mais completa que fosse possível: aqui, inversamente, a colheita foi *envenenada* da noite para o dia... Aquilo que se encontrava *aere perennius* [mais durável que o bronze], o *imperium Romanum*, a mais magnífica forma de organização sob condições difíceis que até agora foi atingida, em comparação com a qual tudo o que veio antes, tudo o que veio depois é algo imperfeito, malfeito, diletantismo – aqueles anarquistas sagrados tornaram isso uma "devoção religiosa" de destruir "o mundo", isto é, o *imperium Romanum*, até que não restasse pedra sobre pedra – até que mesmo germânicos e outros grosseirões pudessem se tornar senhores dele... O cristão e o anarquista: ambos *décadents*, ambos incapazes de agir de outro modo senão desintegrando, envenenando, degenerando, *sugando sangue*, ambos sendo o instinto de *ódio mortal* a tudo o que está erguido, que é grande, que tem duração, que promete futuro à vida... O cristianismo foi o vampiro do *imperium Romanum*. – Ele desfez, da noite para o dia, o imenso feito dos romanos de lograr o solo para uma grande cultura *que tem tempo*. – Ainda não se compreende isso? O *imperium Romanum* que conhecemos, que a história da província romana nos ensina de modo cada vez melhor, essa obra de arte do grande estilo digna de admiração, foi um princípio, sua construção foi calculada para que se provasse ao longo dos milênios – até hoje nada foi assim construído, nada sequer foi sonhado ser construído na mesma medida *sub specie aeterni* [do ponto de vista da eternidade]! – Essa organização era firme o suficiente para que imperadores ruins fossem suportados: o acaso de pessoas não podia ter nenhuma influência nessas coisas – *primeiro* princípio de toda grande arquitetura. Mas ela não estava firme o suficiente contra a espécie *mais corrupta* de corrupção, contra o *cristão*... Esses vermes sorrateiros, que, na noite, nas brumas e na ambiguidade, acercaram-se furtivamente de cada indivíduo e sugaram de cada indivíduo a seriedade pelas coisas *verdadeiras*, o instinto em geral por *realidades*, essa horda covarde, feminina e melíflua alienou, passo a passo, as "almas" em relação a essa imensa construção – aquelas naturezas valorosas, aquelas naturezas virilmente nobres, que sentiam na causa de Roma a sua própria causa, a sua própria seriedade, o seu próprio *orgulho*. A hipocrisia beata, a clandestinidade de grupinho, conceitos tétricos como inferno, como sacrifício do inocente, como *unio mystica* [união mística] na libação do sangue, sobretudo o fogo lentamente atiçado da vingança, da vingança de chandala – *isso* tornou-se senhor de Roma, a mesma espécie de religião contra a qual, em sua prefiguração, Epicuro havia declarado guerra. Pode-se ler Lucrécio para compreender o que Epicuro combateu, não o paganismo, mas, antes, "o cristianismo", ou seja, a corrupção das almas pelos conceitos de culpa, de punição e de imortalidade. – Ele combateu os cultos *subterrâneos*, todo o cristianismo latente – renegar a imortalidade era então uma verdadeira *redenção*. – E Epicuro teria triunfado, todo espírito respeitável no império romano era epicurista: *então apareceu Paulo*... Paulo, o ódio de chandala contra Roma tornado gênio, contra "o mundo", o judeu, o judeu eterno *par excellence*... O que ele adivinhou foi como era possível inflamar, com auxílio do pequeno movimento sectário cristão apartado do judaísmo, uma "conflagração mundial", como era possível reunir num enorme poder, com o símbolo "Deus na cruz", tudo o que ficava soterrado, tudo o que era sorrateiramente sedicioso, toda a herança de maquinação anarquista no império. "A salvação vem dos judeus." – O cristianismo como fórmula, para que os cultos subterrâneos de toda espécie, por exemplo, o de Osíris, da Grande Mãe, o Mitraísmo, fossem sobrepujados – *e* incorporados: nesse discernimento consiste o gênio de Paulo. O seu instinto estava tão seguro disso que, com brutal violência à verdade, ele colocou na boca – e não apenas na boca – do "redentor" de sua invenção as ideias com as quais aquelas religiões de chandala provocavam fascínio – *fazendo* disso algo que também um sacerdote de Mitra podia entender... Este foi seu instante de Damasco: ele compreendeu que havia tornado *necessária* a crença na imortalidade para desvalorar "o mundo", que o conceito de "inferno" se torna senhor de Roma – que com o "além" *a vida é assassinada*... Niilista [*Nihilist*] e cristão [*Christ*]: isso rima, isso não meramente rima...

59

Todo o trabalho do mundo antigo *em vão*: eu não tenho palavras que possam exprimir meu sentimento sobre algo tão monstruoso. – E levando em consideração que seu trabalho foi um trabalho prévio, que foi apenas colocado, com uma autoconsciência granítica, o alicerce para um trabalho de milênios, todo o *sentido* do mundo antigo em vão!... Para que os gregos, para que os romanos? – Todas as pressuposições para uma cultura erudita, todos os métodos científicos já estavam lá, tinha-se já estabelecida a grande, a incomparável arte de ler bem – essa pressuposição para a tradição da cultura, para a unidade da ciência; a ciência da natureza, em união com a matemática e a mecânica, estava no melhor dos caminhos – o *sentido de fatos*, o último e mais valoroso de todos os sentidos, tinha suas escolas, sua tradição de séculos. Compreende-se isso? Tudo o que é essencial fora encontrado para que se pudesse seguir com o trabalho: – os métodos, é preciso repetir dez vezes, *são* o que há de essencial, também o que há de mais difícil, também aquilo que mais longamente tem contra si hábitos e preguiça. O que hoje em dia, com indizível subjugação de si – pois todos nós ainda temos de alguma forma os maus instintos, os cristãos, no corpo –, nós reconquistamos, o olhar livre diante da realidade, a mão cautelosa, a paciência e a seriedade nas pequenas coisas, toda a *retidão* do conhecimento – ela já estava lá! há mais de dois milênios! *E* inclui-se aqui o bom, o fino tato e gosto. *Não* como adestramento do cérebro! *Não* como uma formação "alemã" com modos de grosseirão! Mas, antes, como corpo, gesto, como instinto – em uma palavra, como realidade... *Tudo em vão!* Da noite para o dia, uma lembrança meramente! – Gregos! Romanos! A nobreza do instinto, o gosto, a pesquisa metódica, o gênio da organização e administração, a crença, a *vontade* de futuro humano, o grande Sim para todas as coisas visível como *imperium Ro-*

manum, visível para todos os sentidos, o grande estilo não mais apenas arte, mas, antes, tornado realidade, verdade, *vida*... – E não soterrado por meio de um evento natural da noite para o dia! Não pisoteado por alemães e outros pés-pesados! Mas, antes, escarnecido por vampiros ardilosos, sorrateiros, invisíveis, anêmicos! Não vencido – apenas sugado!... A sede oculta de vingança, a pequena inveja tornada *senhor*! Tudo o que é digno de comiseração, que sofre por si próprio, que é tomado por sentimentos ruins, todo o mundo-gueto da alma de um só golpe *no topo*! – Basta ler um agitador cristão qualquer, por exemplo o Santo Agostinho, para compreender, para *sentir o cheiro* do tipo de camarada imundo que chegou assim ao topo. Alguém se enganaria por completo se pressupusesse um defeito qualquer no entendimento dos líderes do movimento cristão: – ah, eles são espertos, espertos até a santidade, esses senhores Pais da Igreja! O que lhes falta é algo muito diferente. A natureza os abandonou – ela esqueceu de lhes dar um dote modesto de instintos respeitáveis, decorosos, *asseados*... No meio de nós, eles sequer são varões... Se o islã despreza o cristianismo, ele tem mil vezes direito para tanto: o islã tem varões como pressuposto...

60

O cristianismo nos subtraiu a colheita da antiga cultura, ele depois nos subtraiu também a colheita da cultura *islâmica*. O maravilhoso mundo da cultura moura da Espanha, que no fundo *nos* é mais aparentado, nos fala mais aos sentidos e ao gosto do que Roma e Grécia, foi *pisoteado* – não digo por quais pés – por quê? porque ele deve seu surgimento a instintos nobres, viris, porque ele dizia Sim à vida, mesmo com as raras e refinadas preciosidades da vida moura!... Os cruzados combateram posteriormente algo diante do qual teria sido melhor ajoelhar-se covardemente – uma cultura diante da qual mesmo o nosso século dezenove deveria parecer como muito pobre, muito "tardio". – Decerto, eles queriam realizar saques: o oriente era rico... Mas sejamos imparciais! Cruzadas – os grandes corsários, mais nada! – A aristocracia alemã, no fundo a aristocracia Viking, sentia-se em casa: a Igreja sabia muito bem de que modo se *pega* uma aristocracia alemã... A aristocracia alemã, sempre a "Guarda Suíça" da Igreja, sempre a serviço de todos os instintos ruins da Igreja – mas *bem-pagos*... Que a Igreja, com auxílio do gládio alemão, do sangue e da coragem alemães, tenha empreendido sua guerra de inimizade mortal contra tudo o que há de nobre sobre a Terra! Há, nesse momento, uma série de questões dolorosas. A aristocracia alemã está praticamente *ausente* na história da alta cultura: adivinha-se o motivo... Cristianismo, álcool – os dois *maiores* instrumentos da corrupção... Não era possível que houvesse em si uma escolha relativamente ao islã e ao cristianismo, tampouco relativamente a um árabe e a um judeu. A decisão está dada, não se está livre aqui para ainda escolher. Ou alguém *é* chandala ou *não* é... "Guerra de vida ou morte com Roma! Paz, amizade com o islã": assim sentiu, assim *agiu* aquele grande espírito livre, o gênio entre os imperadores alemães, Frederico II. Como? Um alemão precisa primeiro ser um gênio, primeiro ser um espírito livre, para sentir *decorosamente*? –

Eu não entendo como um alemão pôde alguma vez ter sentimentos *cristãos*...

61

Aqui é necessário evocar uma lembrança ainda cem vezes mais dolorosa para os alemães. Os alemães subtraíram à Europa a última grande colheita de cultura que ela pudera recolher – a do *renascimento*. Finalmente se entende, *quer*-se entender, o que foi o renascimento? A *transvaloração dos valores cristãos*, a busca empreendida com todos os meios, com todos os instintos, com todo o gênio, de fazer triunfar os *contravalores*, os valores *nobres*... Havia até então apenas *essa* grande guerra, não havia até então nenhum questionamento mais decisivo do que o do renascimento – *minha* questão é a questão dele: tampouco houvera uma forma de *ataque* conduzida de modo mais fundamental, mais direto, mais rigoroso em todo o fronte até o centro! Atacar no lugar mais decisivo, na sede do próprio cristianismo, levar os valores *nobres*, aqui, ao trono, ou seja, fazê-los ganhar *entrada* nos instintos, nas carências e desejos mais baixos daqueles que estão sentados nele... Eu vejo diante de mim uma *possibilidade* de encanto e estímulos visuais completamente celestiais: – parece-me que ela brilha em todo o frisson de refinada beleza, que atua nela uma arte tão divina, tão diabolicamente divina que, mesmo após milênios, uma segunda oportunidade como essa será procurada em vão. Eu vejo uma encenação tão engenhosa, ao mesmo tempo tão maravilhosamente paradoxal que todas as divindades do Olimpo teriam tido a oportunidade de dar uma gargalhada imortal... – *César Bórgia como papa*... Compreendem-me?... Pois então, teria sido um triunfo que *eu* hoje demando: – com ele o cristianismo teria sido *suprimido*! – O que ocorreu?

Um monge alemão, Lutero, foi a Roma. Esse monge, com todos os instintos sedentos de vingança típicos de um sacerdote malsucedido no corpo, insurgiu-se em Roma *contra* o renascimento... Ao invés de, com profunda gratidão, compreender o que ocorrera de descomunal, a superação do cristianismo em sua *sede* – seu ódio soube apenas retirar seu alimento dessa encenação. Um homem religioso pensa apenas em si. – Lutero viu a *corrupção* do papado, enquanto exatamente o inverso era palpável: a antiga corrupção, o *peccatum originale* [pecado original], o cristianismo não mais se sentava no trono pontifício! E sim a vida! E sim o triunfo da vida! E sim o grande Sim a todas as coisas elevadas, belas, audaciosas!... E Lutero *restabeleceu a Igreja*: ele a atacou... O renascimento – um acontecimento sem sentido, um grande *em vão*! – Ah, esses alemães, que custo eles tiveram para nós! Em vão – essa foi sempre a *obra* dos alemães. – A reforma; Leibniz; Kant e a denominada filosofia alemã; as guerras de liberdade; o império – sempre um em vão para algo que já existia, para algo que não pode ser trazido de volta... Eles são meus inimigos, eu o reconheço, esses alemães: eu desprezo neles toda espécie de insalubridade de conceitos e de valores, toda espécie de *covardia* diante de qualquer Sim e Não probos. Já faz praticamente um século que eles emaranharam e confundiram tudo o que tocaram com seus dedos, eles têm na consciência moral todas as meias-medidas – três oitavos! – das quais a Europa está enferma, – eles também têm na consciência moral a espécie mais insalubre de cristianismo que existe, a mais insanável, a mais irrefutável: o protestantismo... Se ainda não se der um basta com o cristianismo, os *alemães* serão os culpados disso...

62

Com isso chego à conclusão e dou meu veredito. Eu condeno o cristianismo, eu levanto contra a Igreja cristã a mais terrível de todas as acusações que algum dia um acusador proferiu. Para mim, ela é a maior de todas as corrupções pensáveis, ela teve a vontade da última corrupção possível. Com sua corrupção, a Igreja cristã não deixou nada intocado, ela fez de todo valor um não valor, de toda verdade uma mentira, de toda retidão uma sordidez das almas. Não se ouse ainda falar para mim de suas bênçãos "humanitárias"! Extinguir um estado de necessidade qualquer vai de encontro à sua utilidade profunda – ela viveu de estados de necessidade, ela *criou* estados de necessidade para eternizar *a si própria*... O verme do pecado, por exemplo: a Igreja foi quem primeiramente enriqueceu a humanidade com esse estado de necessidade! – A "igualdade das almas diante de Deus", essa falsidade, esse *pretexto* para os *rancunes* de todos os de intenção vulgar, esse explosivo de conceitos que finalmente se tornou revolução, ideia moderna e princípio de decadência de toda a ordem social – é *dinamite* cristã... Bênçãos "humanitárias" do cristianismo! Cultivar, a partir da *humanitas* [humanidade], uma autocontradição, uma arte de profanação de si, uma vontade de mentira a todo custo, uma contravontade, um desprezo de todos os instintos bons e probos! – Para mim, essas seriam as bênçãos do cristianismo! – O parasitismo como a única práxis da Igreja; com seu ideal de anemia, seu ideal de "santidade", beber até a última gota todo sangue, todo amor, toda esperança de vida; o além como vontade de negação de toda realidade; a cruz como signo para reconhecer a conspiração mais subterrânea que já existiu – contra saúde, beleza, sucesso, bravura, espírito, *bondade* da alma, *contra a própria vida...*

Eu gostaria de escrever essa acusação eterna ao cristianismo em todos os muros, em todas as partes onde haja muros – eu tenho caracteres para que também cegos consigam ver... Eu denomino o cristianismo "a" grande maldição, "a" grande corrupção interna que existe, "o" grande instinto de vingança, para o qual nenhum meio tóxico, clandestino, subterrâneo é *pequeno* o suficiente – eu o denomino "a" mácula imortal da humanidade...

E o tempo é contado segundo o *dies nefastus* [dia nefasto] com o qual essa fatalidade se iniciou – segundo o *primeiro* dia do cristianismo! – *Por que não segundo seu último? – Segundo hoje?* – Transvaloração de todos os valores!...

Lei contra o cristianismo

Outorgada no dia da salvação, no primeiro dia do ano um (em 30 de setembro de 1888, segundo a falsa contagem do tempo).

Guerra mortal contra o vício: o vício é o cristianismo

Artigo primeiro – Viciosa é toda espécie de contranatureza. A espécie mais viciosa de homem é o sacerdote: ele *ensina* a contranatureza. Não se tem argumentos contra o sacerdote, tem-se o cárcere.

Artigo segundo – Toda participação em um culto é um atentado à moralidade pública. Deve-se ser mais duro contra protestantes do que contra católicos, mais duro contra protestantes liberais do que contra ortodoxos. O elemento criminoso no ser-cristão aumenta conforme se aproxima da ciência. O criminoso dos criminosos é, por conseguinte, o *filósofo*.

Artigo terceiro – Os lugares execráveis onde o cristianismo chocou seus ovos de basilisco devem ser arrasados da superfície terrestre e serem, como locais *in-*

fames da Terra, o temor de toda posteridade. Devem ser neles criadas serpentes venenosas.

Artigo quarto – A pregação da castidade é uma incitação à contranatureza. Qualquer desprezo da vida sexual, qualquer impurificação da mesma pelo conceito "impuro" é o verdadeiro pecado contra o espírito sagrado da vida.

Artigo quinto – Sentar-se à mesa para comer com um sacerdote é uma expulsão: excomunga-se, assim, da sociedade proba. O sacerdote é nosso chandala – ele deve ser banido, morrer de fome, levado a um deserto qualquer.

Artigo sexto – Deve-se chamar a história "sagrada" com o nome que ela merece, como história *maldita*; deve-se utilizar as palavras "Deus", "redentor", "salvador", "santo" como xingamentos, como designações de criminosos.

Artigo sétimo – O resto se segue disso.

O anticristo

Notas

1. *Nota sobre a tradução*: A edição utilizada foi a que se encontra no vol. 6 da *Kritische Studienausgabe in 15 Bände*. Ed. de G. Colli e M. Montinari. Berlim/Nova York: Walter de Gruyter, 1988. Também foi consultada a *Kritische Gesamtausgabe. Werke*. Ed. de G. Colli e M. Montinari. Berlim/Nova York: Walter de Gruyter, 1967. Foram cotejadas as seguintes traduções: *O anticristo*. Trad. Paulo César de Souza. São Paulo: Cia. das Letras, 2007. • O anticristo [Trechos]. Trad. Rubens Rodrigues Torres Filho. In: *Obras incompletas*. São Paulo: Abril, 1983. • L'Anticristo. Trad. Ferruccio Masini. In: *Il caso Wagner*: Crepuscolo degli idole, L'Anticristo, Ecce homo, Nietzsche contra Wagner. Milão: Adelphi, 1970. • The Anti-Christ. Trad. Judith Norman. In: *The Anti-Christ, Ecce Homo, Twilight of the Idols, and Other Writings*. Cambridge: Cambridge University Press, 2005. Para citações da Bíblia foi utilizada a seguinte edição: *Bíblia Sagrada*. Petrópolis: Vozes, 2001. A pontuação original foi mantida. Todas as notas de rodapé são de responsabilidade do tradutor.

2. Cumpre notar aqui que o título da obra, *Der Antichrist*, pode ser traduzido tanto por *O anticristo* como *O anticristão*. O leitor deve ter em mente essa dubiedade ao longo de todo o livro.

3. "Moralin" é um neologismo cunhado por Nietzsche. Ele é formado com o acréscimo à palavra "moral" do sufixo "-ina", comum nos compostos químicos e farmacêuticos. Conforme se torna claro nos contextos em que é empregado, o termo remete a uma moral artificial, decadente.

4. *Glaube* designa tanto "crença" como "fé"; ou seja, tanto uma convicção não fundada em provas e fatos como uma convicção de teor religioso. Optou-se por traduzi-la por "fé" ou "crença", dependendo do contexto.

5. *Klugheiten*. O termo *Klugheit* também pode ser traduzido por "prudência", "esperteza", "sensatez" etc.

Ao longo da tradução o termo *Klugheit* e derivados, como *klug*, foram vertidos conforme esse campo semântico mais amplo.

6. *Für-wahr-halten*. O termo *Fürwahrhalten* pode ser traduzido, literalmente, por "tomar-por-verdadeiro".

7. *Ephexis*, *ephektikos* ou ἐφεκτικός. Esse termo grego designa algo próximo à postura cético-pirrônica de dúvida, cautela, indecisão etc. no juízo.

8. *Assim falava Zaratustra*, II. "Dos sacerdotes". A tradução utilizada, e modificada, é: *Assim falava Zaratustra*. Trad. Mário Ferreira dos Santos. Petrópolis: Vozes, 2008, p. 129.

Vozes de Bolso

- *Assim falava Zaratustra* – Friedrich Nietzsche
- *O Príncipe* – Nicolau Maquiavel
- *Confissões* – Santo Agostinho
- *Brasil: nunca mais* – Mitra Arquidiocesana de São Paulo
- *A arte da guerra* – Sun Tzu
- *O conceito de angústia* – Søren Aabye Kierkegaard
- *Manifesto do Partido Comunista* – Friedrich Engels e Karl Marx
- *Imitação de Cristo* – Tomás de Kempis
- *O homem à procura de si mesmo* – Rollo May
- *O existencialismo é um humanismo* – Jean-Paul Sartre
- *Além do bem e do mal* – Friedrich Nietzsche
- *O abolicionismo* – Joaquim Nabuco
- *Filoteia* – São Francisco de Sales
- *Jesus Cristo Libertador* – Leonardo Boff
- *A Cidade de Deus – Parte I* – Santo Agostinho
- *A Cidade de Deus – Parte II* – Santo Agostinho
- *O conceito de ironia constantemente referido a Sócrates* – Søren Aabye Kierkegaard
- *Tratado sobre a clemência* – Sêneca
- *O ente e a essência* – Santo Tomás de Aquino
- *Sobre a potencialidade da alma* – De quantitate animae – Santo Agostinho
- *Sobre a vida feliz* – Santo Agostinho
- *Contra os acadêmicos* – Santo Agostinho
- *A Cidade do Sol* – Tommaso Campanella
- *Crepúsculo dos ídolos ou Como se filosofa com o martelo* – Friedrich Nietzsche
- *A essência da filosofia* – Wilhelm Dilthey
- *Elogio da loucura* – Erasmo de Roterdã
- *Linguagem corporal em 30 minutos* – Monika Matschnig
- *Utopia* – Thomas Morus
- *Do contrato social* – Jean-Jacques Rousseau
- *Discurso sobre a economia política* – Jean-Jacques Rousseau
- *Vontade de potência* – Friedrich Nietzsche
- *A genealogia da moral* – Friedrich Nietzsche
- *O Banquete* – Platão
- *Os pensadores originários* – Anaximandro, Parmênides, Heráclito
- *A arte de ter razão* – Arthur Schopenhauer
- *Discurso sobre o método* – René Descartes
- *Que é isto – A filosofia?* – Martin Heidegger
- *Identidade e diferença* – Martin Heidegger
- *Sobre a mentira* – Santo Agostinho
- *Da arte da guerra* – Nicolau Maquiavel
- *Os Direitos do Homem* – Thomas Paine

- *Sobre a liberdade* – John Stuart Mill
- *Defensor menor* – Marsílio de Pádua
- *Tratado sobre o regime e o governo da cidade de Florença* – J. Savonarola
- *Primeiros princípios metafísicos da Doutrina do Direito* – Immanuel Kant
- *Carta sobre a tolerância* – John Locke
- *A desobediência civil* – Henry David Thoureau
- *A ideologia alemã* – Karl Marx e Friedrich Engels
- *O conspirador* – Nicolau Maquiavel
- *Discurso de metafísica* – Gottfried Wilhelm Leibniz
- *Segundo Tratado sobre o governo civil e outros escritos* – John Locke
- *Miséria da filosofia* – Karl Marx
- *Escritos seletos* – Martinho Lutero
- *Escritos seletos* – João Calvino
- *Que é a literatura?* – Jean-Paul Sartre
- *Dos delitos e das penas* – Cesare Beccaria
- *O Anticristo* – Friedrich Nietzsche
- *À paz perpétua* – Immanuel Kant
- *A ética protestante e o espírito do capitalismo* – Max Weber

LEIA TAMBÉM:

O que é poder?

Byung-Chul Han

Ainda existe em relação ao conceito de poder um caos teórico. Opõe-se à evidência do seu fenômeno uma obscuridade completa de seu conceito. Para alguns, significa opressão. Para outros, um elemento construtivo da comunicação. As representações jurídicas, políticas e sociológicas do poder se contrapõem umas às outras de maneira irreconciliável. O poder é ora associado à liberdade, ora à coerção. Para uns, baseia-se na ação conjunta. Para outros, tem relação com a luta. Os primeiros marcam uma diferença forte entre poder e violência. Para outros, a violência não é outra coisa senão uma forma intensiva de poder. Ele ora é associado com o direito, ora com o arbítrio.

Tendo em vista essa confusão teórica, é preciso encontrar um conceito móvel que possa unificar as representações divergentes. A ser formulada fica também uma forma fundamental de poder que, pelo deslocamento de elementos estruturais internos, gere diferentes formas de aparência. Este livro se orienta por essa diretriz teórica. Desse modo, poderá ser chamado poder qualquer poder que se baseie no fato de não sabermos muito bem do que se trata.

Byung-Chul Han nasceu na Coreia, mas fixou-se na Alemanha, onde estudou Filosofia na Universidade de Friburgo e Literatura Alemã e Teologia na Universidade de Munique. Em 1994, doutorou-se em Friburgo com uma tese sobre Martin Heidegger. É professor de Filosofia e Estudos Culturais na Universidade de Berlim e autor de inúmeros livros sobre a sociedade atual, dentre os quais *Sociedade do cansaço*, *Sociedade da transparência*, *Topologia da violência*, *Agonia do Eros* e *No enxame*, publicados pela Editora Vozes.

EDITORA VOZES
Editorial

CATEQUÉTICO PASTORAL

Catequese – Pastoral
Ensino religioso

CULTURAL

Administração – Antropologia – Biografias
Comunicação – Dinâmicas e Jogos
Ecologia e Meio Ambiente – Educação e Pedagogia
Filosofia – História – Letras e Literatura
Obras de referência – Política – Psicologia
Saúde e Nutrição – Serviço Social e Trabalho
Sociologia

TEOLÓGICO ESPIRITUAL

Biografias – Devocionários – Espiritualidade e Mística
Espiritualidade Mariana – Franciscanismo
Autoconhecimento – Liturgia – Obras de referência
Sagrada Escritura e Livros Apócrifos – Teologia

REVISTAS

Concilium – Estudos Bíblicos
Grande Sinal – REB

PRODUTOS SAZONAIS

Folhinha do Sagrado Coração de Jesus
Calendário de mesa do Sagrado Coração de Jesus
Agenda do Sagrado Coração de Jesus
Almanaque Santo Antônio – Agendinha
Diário Vozes – Meditações para o dia a dia
Encontro diário com Deus
Guia Litúrgico

VOZES NOBILIS

Uma linha editorial especial, com importantes autores, alto valor agregado e qualidade superior.

VOZES DE BOLSO

Obras clássicas de Ciências Humanas em formato de bolso.

CADASTRE-SE
www.vozes.com.br

EDITORA VOZES LTDA.
Rua Frei Luís, 100 – Centro – Cep 25689-900 – Petrópolis, RJ
Tel.: (24) 2233-9000 – Fax: (24) 2231-4676 – E-mail: vendas@vozes.com.br

UNIDADES NO BRASIL: Belo Horizonte, MG – Brasília, DF – Campinas, SP – Cuiabá, MT
Curitiba, PR – Fortaleza, CE – Goiânia, GO – Juiz de Fora, MG
Manaus, AM – Petrópolis, RJ – Porto Alegre, RS – Recife, PE – Rio de Janeiro, RJ
Salvador, BA – São Paulo, SP